台灣的抉擇②——

孫中山思想與
新古典社會主義

史記
史記文化事業有限公司
Shi Ji Cultural Co., Ltd.

目　次
Content

日本在台灣殖民的再思

周惠民

從勤勞的台灣民眾所搾取的鉅大利潤到底是流到那裡去呢？
農、工、小商人等無產階級日趨貧困，
小資產階級不僅也像秋風落葉淪為下層階級，
我們的努力，反而把我們生活上的一切變成絕大的威脅，
建築在大資本階級產業組織上的政治，
只是在擁護特殊（搾取）階級，
對我們台灣民眾加以威壓，強制收買土地；
支出巨額的產業補助金，
對佃農及勞工糾紛，則採取強壓，解散集會，
逮補多數的社會運動戰士，投入黑暗的鐵檻。
—摘自1927年《台灣文化協會改組後的宣言》

前言

　　18世紀以前，拉丁美洲的統治者原為來自伊比利半島的「半島人」，出生於拉丁美洲的半島人後代雖屬同文同種，但頗受歧視。這些土生白人遂藉著拿破崙（1769-1821）掀起的歐洲政治劇變，起而推翻其政權，建立自主新政府。後世人或有稱之為「民族革命」者，實際上，這只是土生白人與半島人間的政治鬥爭，無關乎民族。

　　土生白人一旦當家做主，也是繼續「半島人」壓迫拉美土著的殖民政策，毫無二致。19世紀後期，與中國血緣文化相近的日本同受帝國主義侵凌，卻能有效地變法圖強，甚至在1895年以後，加入帝國主義者行列。第二次世界大戰之後，日本無條件投降，國力

驟降，處處以美國馬首是瞻，並與美國訂立安全保障條約，形同附庸，頗類「香蕉共和國」。

1945年以後，台灣雖重回中國，但1949年以後因海峽兩岸分治，也與日本類似，成為美國安全島鏈中的環節，台灣不僅仰承美國鼻息，心態上也還未脫離日本殖民統治。

日本在台殖民

日本因地緣關係，受列強衝擊較晚，又從中國經驗中汲取教訓，對西方帝國主義入侵反應迅速，幕府將軍宣布「大政奉還」，推動維新，學習西方。日本一方面要在境外建立一條抵禦西方列強的「帝國生命線」，另一方面，更要加入「殖民俱樂部」，希望能與西方人比肩，甚至一較長短，率先掠奪台灣為其殖民地，又出兵朝鮮半島與中國東北地區，甚至要蠶食鯨吞全中國。日本帝國主義意識形態歷經數變，先有「脫亞入歐」的說法，恥與中、韓兩國為伍。1930年代以後，改弦更張，要重回亞洲，先提倡「中日滿經濟合作，共同提攜」，進而要建立「大東亞新秩序」，與亞洲各國一起對抗列強。轉變過程充分投射在其對台政策之中。

歐洲列強侵略各地，往往恃其文化發達、國力強盛，面對不同的人種、語言、文化與宗教，歐洲人多以強制手段，甚至以大規模鎮壓乃至屠殺達到其統治的目的。日本在台灣或朝鮮半島的殖民活動卻無法採取類似歐洲列強的種族、文化與宗教訴求。甚至在殖民活動初起之際，日本還從中國輾轉大量吸收西方傳教士引進的歐美新知。因此日本在台的殖民活動中，必須另闢蹊徑。

儘管後藤新平（1857-1929）擔任台灣民政長官，實際主持各項政務期間，多次表達其「開化」台灣的想法，但其與台灣耆老的互

動，仍以中華文化為主。1900年3月，後藤新平在台北府城舉辦揚文會，邀集台籍進士、舉人及貢生，共計72人出席。總督兒玉致辭，民政長官後藤專題演講。討論主題包括修葺廟宇、旌表節孝與救濟賑恤，會後編纂成《揚文會策議》。說明日本殖民台灣時，在文化議題與種族議題的訴求並不似歐洲列強。新的統治階級出現之後，其所受教育已經不同於樺山、兒玉、桂等人，意識形態與教養內容較接近西方，這批大學法學部畢業的新官僚體系會有不同的想法。而經過20餘年的殖民統治以後，日本在台灣培養出新的社會中間階級，其認同也與父祖有別，1920年代以後的殖民活動，顯與日本殖民初期有異。

台灣成為日本殖民活動的訓練基地

1895年，日本佔領台灣，建立第一個殖民地之時，日本並無任何的殖民經驗或能力。矢內原忠雄一直批評日本的殖民帝國主義，他在《日本帝國主義下的台灣》一書中即指出：1895年時，日本尚未發展出壟斷的資本，也並未到達亟需殖民地以滿足其經濟需求的階段。甚至不具備經營殖民地的行政能力與組織。日本剛剛取得台灣之時，還面臨無法支應建設殖民地的人力與物力之窘境。甚至有「台灣賣卻論」以節省國家經費的考慮。日本何以能夠在短短期間內便發展出一套縝密的殖民行政體系，並將之推廣到其日後佔領的許多地區？誠如日本殖民主義者所言：世界各國經營殖民地時花費巨資，無法回收。但日本殖民台灣，9年之後，台灣財政已經自給自足，到了1923年日本國內因大地震發生社會困難時，台灣還大力捐輸，報效日本，顯然日本殖民地經營策略，優於西方列強。何以致此？

日本近代化過程中，首先注重西式的高等教育。「帝國大學體系」雖然發展甚晚，卻成為日本重要的「文官養成中心」。以東京

大學為例：1856年，日本成立「蕃書調所」，開始招募學生並翻譯西文圖書。1862年，蕃書調所改稱「洋書調所」，顯示其心態逐漸改變。隨後，洋書調所改制為「開成所」，取「開物成務」之意。1868年，又將幕府時代建置的「醫學所」改制為「東京醫學校」，1877年，日本政府合併幾所「大學校」改組為「東京大學」，稍後，又在京都、九州等地陸續成立「帝國大學」。1911年以前設立的4所帝國大學（東京1886、京都1897、東北1907、九州1911）才設置法學部或法文學部，專門培養法政人才，也就是日後帝國殖民地行政的主力。稍後成立的另5所帝國大學，包括漢城與台北各1所，目的與功能不同於前面的幾所帝國大學，其中，又以「東京帝國大學」為日本殖民地管理人才的主要培訓所。

我們可以台灣總督府的官僚系統為例：日本統治台灣的51年間，從總督出身為區別，可以分成3個不同時期，1895年到1919年間的「武官總督」時期多為陸軍大將出身，1919年到1936年間，共有9任「文官總督」。1936年台灣進入準戰時體制，又以將官出任總督。這9任文官總督中，第一位的田健次郎（1855-1930）為大學成立之前的舊官僚，從第2為文官總督起，8位總督均畢業於東京帝國大學。台灣前後17任民政長官，早期3人尚屬舊體制官僚，並非大學系統，從1906年就任民政長官的祝辰巳（1868-1908）以後，14任中，兩人為京都大學畢業，其餘均為東京大學畢業。帝國大學畢業生的比例是100%，1924年成立台灣總督府交通局前後10任局長中，1人畢業於京都帝國大學，其餘各人均為東京大學畢業生，帝國大學畢業生比例高達100%。這種情況在朝鮮也類似：朝鮮總督府成立於1910年日韓合併之後，歷任朝鮮總督府政務總監11人，僅有1人為貴族出身，因長期服務於警界而升任政務總監，另一人自明治大學法學部畢業，其餘九人均為東京帝國大學畢業，比例近9成。由此可見帝國大學對於殖民地行政人員養成教育的意義。這些帝國大學畢業

生共同的特質是：貴族或上層階級出身。日本自明治維新，廢止貴族的特權之後，許多貴族子弟除加入軍隊外，便是進入帝國大學，以便畢業後進入官僚體系。這些帝國大學招收的學生形成一種自我認知強烈的封閉社會，奉派前往殖民地服務的帝國大學畢業生也因為學長、「前輩」的關係，在各地形成特殊社會階級，待遇優渥，建立自己的生活體系與社交圈，並不與當地融合。這種殖民地管理體系多為仿效印度英籍官員或安南法籍官員而來，不僅不與當地人接觸，甚至與其他日本在台臣民混同。首先，殖民官員，包括總督府、法院、檢察局、州廳、台灣總督府所屬官署、各學校等的職員需統一穿著制服，含上衣、肩章、長褲、帽子、配劍與外套，明顯標示階級與地位，不與常人同。這種殖民地的官僚文化也出現於朝鮮半島。日本官吏享有各種特殊待遇及照顧，總督府在台灣建造大批日式住宅作為宿舍，環境優雅，不遜日本，並首先裝設自來水、排水系統及醫療照護，甚至以台灣為熱帶地區，擔心日本人在此水土不服，易生疾病，官俸之外，還提供特別恩給。1935年時，日本統治台灣40年，台灣的官僚系統仍以日本人為主，仍享受「殖民地官員」待遇，警務局長均為日籍，月俸平均433元、低階的巡查多為台籍，月俸約為30-40元、台籍青年僅能充任初級「警手」，佔總人數八成以上，月俸僅有15-30元。事實上，在台日人的平均壽命遠高於台灣人，也高於日本境內的日本人或在朝鮮的日本人。

　　殖民地的各種產業經營亟需大量人力，日本台灣總督府必須在台灣成立各種專門職業學校，培養中低階人力，以滿足其開發台灣資源之需，所以日據時期台灣職業教育相當發達。例如台北商業學校、台中商業學校、台北工業學校、台南高等工業學校、台北高等農林學校、台中農林專門學校。這些職業學校教師均為日籍，享有高級文官待遇，而訓練的學生充任殖民地的低階人力，鮮有昇任高級文官者。日本高級文官為敕任，僅有醫學院教授杜聰明，且杜氏

為東京帝大與京都帝大的畢業生。台灣籍官員頂多為「判任官」，屬下層階級官員，總督任命即可。

日本在台的經濟政策

帝國主義者佔領殖民地時，有各種動機，諸如將殖民地用作屯墾地，利用殖民地的氣候、土壤與人力資源，提供其所需的經濟作物如蔗糖、咖啡、香料等，或運回本國，或銷售他地，尼德蘭東印度公司在亞洲各地的殖民活動屬於此類。或將殖民地視為資源供應地，開採殖民地的天然資源如金屬礦業、林木或石油等，大英帝國在南非、東南亞各地開採礦藏與伐木，即著眼於掠奪天然資源。許多地區因為交通位置重要，也成為掠奪的目標，直布羅陀海峽、麻六甲海峽等地，都有類似的殖民活動。帝國主義者掠奪特定地區時，可以同時有多種考量。日本在台殖民活動中，就兼具各種動機，掠奪台灣的農業、林業之外，台灣也成了日本帝國「南進」的跳板。

我們可以參與嘉南水利建設的八田與一（1886-1942）為例：他自1910年畢業於東京帝國大學後，便任職台灣，先後參與台北下水道工程、高雄港規劃、台南水道工程、桃園大圳工程、日月潭水力發電水庫勘查、大甲溪德基水庫勘查等重要土木工程。1920年代以後，日本國內對台灣稻米的需求加重，計畫擴大台灣的稻米生產並引進日本人習慣的粳稻，但適合水稻種植的嘉南平原卻處於水資源缺乏狀態，日本如欲增加台灣稻米生產供其國內所需，必須先解決農業灌溉問題。

台灣雨量豐沛，平均年降雨量2,150毫米，但分佈不均，80%降雨集中於5月至10月，稱為豐水期，但約有46.2%之降雨量直接流入海中，33.3%為蒸發損失，可利用水量僅佔降雨量之20.5%。多數河

川為荒溪型河川，只有淡水河、大漢溪、基隆河北部河川全年水量較為穩定。所以儘管嘉南平原溫度高，日照充足，但受限於水量，農業生產受極大限制。如何引水灌溉，成為農業發展的重要課題。台灣總督府本已經注意此事，早在1917年左右，總督府即交付八田與一研究強化嘉南平原水利的任務。八田與一並就此提出嘉南大圳建造構想，但申報之後，日本內閣會議卻以費用過高為由，否決此事。

　　1918年，日本境內因糧食供應不足，又計畫與俄國作戰，發生軍糧排擠民生所需，引發米價暴漲的「米騷動」事件。日本政府因而決定加強在其殖民地台灣與朝鮮種植稻米，以滿足其國內所需，因此議決可以興建嘉南大圳，但台灣必須自籌部分財源。1919年起，八田與一開始實地測量，著手設計水庫設計和引水工程。1920年，規劃完成，其核心工程為烏山頭水庫，引曾文溪上游之大埔溪水入水庫。

　　嘉南大圳從1920年興建起到1930年5月完工，花費近10年，原本預期灌溉嘉南平原約15萬甲土地，但通水後一年發現，灌溉面積僅136,000多甲，而且曾文溪取水量有限無法同時灌溉所有區域，八田與一才被迫設計「三年輪作給水法」，把15萬公頃農地分成三個區塊，以三年為期，輪作水稻、甘蔗和雜糧，種水稻時充分給水，種甘蔗只在初期給水，種雜穀則不給水，即是「三年輪灌制度」，實際上並未滿足嘉南平原的給水需求。台灣史學者也指出：「嘉南大圳為日治時期台灣最大的水利工程，但囿於本區水量的不足，導致灌溉區的近15萬公頃耕地無法經常供水，必須實施三年輪作制，其中又以烏山頭水庫灌溉區的7萬餘甲的耕地缺水更為嚴重。」

　　另一方面，烏山頭水庫水源含沙量甚高，又採「半水力淤填」式工法，水庫淤積嚴重，有效蓄水量一直達不到原本的工程

設計量。1973年完工的曾文水庫滿水面積為1,714公頃（17.1平方公里），是台灣湖面面積最大的水庫，水庫設計容量達7億4,840萬立方公尺，更是全台容量最大的水庫，較烏山頭水庫的設計量1億377萬立方公尺，現存有效蓄水量8,085萬立方公尺大出許多，才滿足灌溉所需。

台灣人民的飲食是否因此受益？

即使嘉南大圳於1930年完工，果能依據原先規劃，提高台灣稻米的總產量達4倍之多，但台灣人均稻米消費是否能夠因此而提高？台灣人均稻米消費是否高於日本？與日本另一個殖民地朝鮮比較，情況又是如何？

日本總督府加強水利灌溉措施，又引進新稻種，其目的僅是為解決日本國內所需，這又與1918年的「米騷動」事件密切相關。1872年日本第一次國力普查時，日本人口總數為3,311萬，1908年普查時已增加到4,958萬。1930年時，日本人口超過6,445萬，但耕地增加有限，自然會出現糧食不足問題。第一次世界大戰結束之後，歐美各地出現景氣變化，也連帶影響日本。當時民間謠傳戰爭又將發生，許多人開始屯糧，造成供應減少，米價出現劇烈的變動，以大阪為例：當地米價從1918年1月，1石米約值15日圓漲到6月時的20日圓，8月1日，35日圓，8月5日漲至40日圓，9日則要50日圓。日本各地出現群眾鼓譟與騷動現象，蔓延全日本。日本政府除緊急制定穩定米價辦法外，並從台灣與朝鮮兩個殖民地輸入稻米應急，更決議要提高台灣粳米對日輸出。

原本台灣僅種植俗稱長米的秈稻，耐熱耐旱，可以輪作，且生長期短，故產量高，頗適合台灣。從明鄭以後，大量引進台灣栽種。日本殖民台灣之初，自台灣進口的稻米也是秈稻。磯永吉

（1886-1972）於1911年自日本東北帝國大學農科大學畢業後，就接受台灣總督府聘請，於1912年抵達台灣，服務於台灣總督府農業試驗場，中央研究所等機構，研究課題便是「改良」更適合日本人食用的稻米。

1925年，磯永吉以日本種稻米與台灣本土的秈稻雜交後，培育出黏度較秈稻為高的新品種稻米，稱為「蓬萊米」，這種稻米可以滿足日本國內對稻米的要求，因而大量輸往日本。因此，日本興修嘉南大圳水利工程，只為滿足日本國內的需求。

台灣總督府興建嘉南大圳的目標是提高台灣的稻米生產，從統計數字上看，也確實達到這個目標，台灣稻米產量從1924年的607萬日石增加到1930年的737萬日石。1939年時，更增加到915萬日石。但是，既然台灣稻米增產產的目標是為了提高輸入數量，台灣人如何能夠受惠？

台灣總督府米穀局編的《台灣米穀要覽》指出：1905至1909年間，台灣人每年平均消耗糙米1.11日石（約200公升），其後逐年減少，1935至1938年，每人每年僅得0.83日石（約150公升），僅為1905年的4分之3，此時台灣的經濟尚屬十分景氣。嘉南大圳也才完工不久。同一時段中，日本國內人均稻米消費量則始終維持在1日石（200公升）以上，並未減少。朝鮮半島的居民與台灣人民一樣，米的消耗量不斷下滑，從1930年的0.45日石到1936年的0.384日石。太平洋戰爭爆發之後，台灣米穀除供應日本國內外，也要供應戰場軍用糧食。台灣開始實施大規模配給制度，糧食生產並未短缺的情況下，台灣人的糧食供應卻不斷下降。

台灣人被迫參與日本侵略戰爭

日本雖然人口眾多，但一旦發動對外侵略戰爭時，就必須做最大化動員的準備，台灣青年自然也是日本投入戰鬥時的重要人力資源，只是運用的方式並不同於其國民，並不真正負擔戰鬥任務，多為軍隊的「輔佐」，具有特定的「工具」性質。

1898年，日本首先在全台招募約300人，自1900年1月起入營服役，此為台籍日本兵之濫觴。日俄戰爭與第一次世界大戰期間，台灣也有軍伕在戰場為日軍服務。1930年代，日本推動南進政策時，首先建設高雄港、左營軍港、岡山海軍飛行場及「第61海軍航空廠」，這些工地中均有日語與技術都純熟的台灣青年擔任國防相關業務的「技術工員」，特稱為「軍屬」，但並非「軍人」。此外，還有許多台灣青年除具有專門知識外，還通曉日語、中文、閩南語或客家話，應聘到日本軍營中擔任「囑託」或通譯，在中國東北和中國各地的日本租界工作。

1937年以後，中日戰爭全面爆發，日本駐紮台灣的「台灣軍」奉派前往上海參加著名的「淞滬戰役」，9月7日，「重藤支隊」從台灣出發，許多輜重運輸工作以在台灣招募的「軍屬」負責。這批軍屬約一千人，均以優厚的薪餉與福利為吸引，除本人領取20到30日圓外，在台家屬也可領取30到60日圓，並有配給品，較員警月俸為高。

1938年，總督府又組織「農業義勇團」，招募具備農業知識的台灣青年隨軍前往日本占領區，栽種專供軍用的蔬菜。這批人散佈在上海、南京、安慶、南昌、武漢等地的農場中，指導當地農民生產，以擴大種植面積，滿足軍需。農業義勇團前後九回，最遠抵達海南島，提供軍方米糧。

在自己的墓碑刻下安於現狀的銘文。最好的祭文是將「成為香蕉共和國」的經歷公諸於世，但喪禮儀式被跳過了，因為香蕉共和國實際上沒有真的死亡，只是「被」他人安於現狀地苟延殘喘。然而，即便能夠針對當前半死不活的病態開出藥方，但卻又得不到引出效果的藥引，而將「目前」這種奇怪的處境，活成一種永久的姿態——香蕉共和國這種進退維谷的困境，已是其蓋棺論定的「歷史評價」，其生命階段永久維持在某一時空裡，而成一可茲研究的活化石，並襯托不斷進步的價值。如此，進步與落後的評價，連同附隨其上的各種次級分類：白人與有色人種、發展與停滯、殖民與被殖民、南半球與北半球、中心與邊陲等，便成為一種「科學化」解釋現狀的「客觀化」標準。「科學」合理化「存在」，並全面麻痺內裡懷藏的惡意價值判斷，將好壞從評價轉為天生，配合不求甚解的心態淡化或忽略歷史問題。

歷史是時空共構中的人類活動，各種附著在求生意志上的人類活動，依據其外在條件發展成自己特殊的樣子、形成各種大大小小的實體。各種合適自身環境的規模，本為豐富人類文化的呈現；唯當安全成為穩定的常態，生存意志趨於落空，此盲動的力量便扭曲為權力的意志，使謀生轉為擴張，將先驗的衝動服務於後天的欲求——權力就是手段、就是目的，以侵害他人來自我實現；並為塑造恆定的安全「競爭」環境，消解無限伸張權力時將牴觸的秩序運作。於是強權為「雜魚」重新套上「進步義務」的枷鎖，卻把名為「自由」的鎖匙吞進腹中，以抽真空的方式提醒其記得大口呼吸。

這就是香蕉共和國的故事，故事是人生百態的縮影，寓言也有揭示意義的價值；香蕉共和國則融冶故事與寓言，成為絕對真實的譬喻，像一陣惡臭、一種墮落的味道。香蕉共和國所引發的各種形象之聯想，只存在於1492年「地理大發現」（Age of Discovery）之

後——沒有「此前」，「拉丁美洲」沒有史前史，「此刻」的外力決定了他「此後」的開始，始於伊比利半島諸國欲繞過威尼斯人及穆斯林支配的地中海及紅海水域，謀求與亞洲國家的直接貿易，懷著對「地圓說」的信心來到「西印度」——「中南美洲」的自身歷史，在此時此刻為「拉丁美洲」所覆寫，外來勢力的介入從此成為其刻骨銘心的特質。

經濟自主：從殖民地到「民族」建國

經濟需求是美洲「拉丁化」的開端，然而新獲的西印度地區，其經濟潛力實令伊比利半島諸國感到失望。然而，來自半島上的「征服者」（conquistador）很快便找到了有利可圖的生意，甚至往後半島諸國在中南美洲所獲利益，遠超過香料貿易本身：殖民國最初自紅木染料出口貿易中，滿足歐洲新興紡織工業的需求，接著又發現豐富的貴金屬礦，再來據其地理位置嘗試移植或擴大生產歐洲需求之熱帶作物。半島諸國認知到，財富未必皆來自遙遠的東方，保有並壟斷這塊生產利益的土地，在其上逐步建立起自己的商業帝國，為厚植實力的重要手段。

為有效建設及開採當地資源，殖民帝國的目標不再只是設立商業據點，而是全面掌握資源及開發。圍繞實際的經濟需求採行之政策，諸如鼓勵一般人民移入中南美洲，以歐洲國家的型態作為新社會設教立政的典範。自舊世界移植過來的文化隔閡及階級差異，互相交織成拉丁化美洲的日常運作模式，有利於歐洲取向政策制定。如此，來自半島諸國的白人（以下稱半島人）在當時重商主義的經濟潮流中，其對殖民地的經營利益全然繫諸殖民母國的需求，而迎合此一需求約束其生產內容並定型化生產模式，成為殖民地上的「征服者／統治者／地主」獲利的保證。

歷史，同時也是棉花的歷史。事實上，這類熱帶產品主要是賣給中緯度地區的歐洲消費者，這種類型的貿易就是17-18世紀世界經濟的基礎貿易之一。據研究指出，1830年代、1840年代，三種農產品（蔗糖、棉花、和咖啡）持續佔巴西出口產品的75-80%。這種經濟剛性結構導致了西方世界中心國家與拉丁美洲邊緣國家的經濟不平等一直持續到20世紀二戰後都還是如此。

　　常見的結果是，某些第三世界國家益發貧窮，基本需要的生存維持物品越不被重視，在跨國公司及西方銀行體系的資本利劍下，那些國家的發展政策似乎就在為第一世界的生產與消費服務，以至於甚至放棄了維持其人民生存所需的「孤兒食物」。明顯的是，那種跨國的政治經濟不平等之結果，不但沒有為那些受剝削地區內部的「最少受惠者」（the least advantaged class/group）帶來任何補償利益，反而加深了他們的不利益；用羅爾斯（John Rawls）的話來說，那種政治經濟制度是非常不正義的。

大農場奴隸制度的興起

　　在此同時，拉美大種植園（fazendas）和大莊園（latifundia）的農場制度應運而生；伴隨大農場制度而生的是大量農場勞動力的需求以及為了滿足這些需求的非洲奴隸貿易的發達。其中，葡萄牙是奴隸買賣的始祖；自16世紀初，葡萄牙人就在今天扎伊爾（剛果民主共和國）的博馬港及羅安達港建立了販奴站，把非洲奴隸運到巴西和加勒比海地區，賣給當地的大種植園。有人估計，到19世紀初，被送到巴西的非洲黑奴約在500萬到600萬之間，那時的古巴有一個很大的奴隸市場。可以這樣說，印第安人是歐洲殖民者的本土牛馬，而非洲黑奴繼之成為他們的外來牛馬；本土牛馬枯竭後，就從非洲捕捉販運外來牛馬補充之。舉例來說，1789年法國大革命

時，加勒比海中海地的所有人口，白人僅佔4萬，黑白混血的穆拉托人（mulato）3萬，而黑人奴隸卻高達45萬。應該說明的是，那些奴隸不但是終身的、而且是世襲的，其不正義性尤甚。

在這個結構下，販運奴隸把英國的利物浦拱成世界第一大港口；可以說，黑奴買賣已經是當時資本主義機器得以運轉的主要部件。事實上，奴隸貿易到1850年才在巴西結束，到1866年才在古巴結束，但要到1884年，才在全世界的範圍被禁止；當此之時，歐洲白人已經認識到非洲大陸本身具有的各種潛力，而有1884-1885年的柏林會議、以瓜分非洲之議故也。

應該同時一提的是，同一個時期北美美利堅合眾國南方各州為了種植棉花，為數眾多的非裔黑人奴隸人口也是同樣飽受北美洲白人的壓榨：1860年左右，在美國南方各州1,000萬總人口中，非洲裔奴隸400萬，佔達40%；當此時也，路易斯安那州密西西比河岸邊的紐奧爾良（New Orleans）也有一個興旺的奴隸市場，以供應美國南方各州農場主的奴隸需求。

殖民主義下拉丁美洲的的政經體制：高地酋體制

拉美這種大農場土地制度後來還演變成所謂的「高地酋（caudillisomo）體制」，即一種高度集中的權貴政經權力、大莊園制或大農場制、奴隸勞工制、以及農礦初級產品出口導向的政經體制；實際上，那種新封建主義的土地制度就是一種經濟不民主的「權貴支配」制度。

殖民主義下拉丁美洲的「大莊園制」，雖有利於單一作物的生產，卻造成了拉美地區土地生產率的低下以及貧富不均的社會結構。這種社會結構剛性持續很久，它在拉美大地形成了一種與拉丁

美洲本土社會經濟相隔離的「經濟飛地」（economic enclave），從而降低了地區流動性，那不但無助於當地生存農業的發展，同時也阻礙了拉美統一市場的形成；更嚴重的是，它同時降低了族群流動性和階層流動性；一言以蔽之，可以說「大莊園制」是拉美地區經濟不發達的社會結構根源。

總地來說，直到20世紀中葉拉美各國都未觸及「大莊園制」（或大種植園）的社經結構改革。依據學者的研究，直到20世紀50年代，拉丁美洲各國土地還是高度集中在少數權貴手中，5%的人口掌握了80%的土地；80%的小農場主所佔的土地只有5%，他們無法單靠土地維持生計；60年代，63%的農村人口（約1,800萬）沒有任何土地，550萬農民擁有的土地數量不足，僅190萬人擁有足夠的土地，另10萬人，土地過量；就以60年代的哥倫比亞為例好了，大農場主們共控制了70%的農地，但只開墾了6%的土地，而地產少於13英畝的小農場主們卻共開墾了66%的土地。

與此相較，二戰後海峽兩岸所推行的土地重分配（擁有土地所有權的耕者有其田）或土地國有化及改革開放後所推行的家庭農場承包制（擁有土地使用權的耕者有其田），恰恰與此相反；土地重分配（即人均支配）或土地國有化（即公共支配）均得以打破了貧富不均的社會結構，從而蘊育了廣大的消費階層、甚至培育了本土製造工業的幼苗，這或許是二戰後海峽兩岸先後取得經濟發展成就的社會結構根源。

美國經濟需要拉美地區的資源，就像肺臟需要空氣

第一次世界大戰後，當歐洲的殖民霸權逐漸淡離拉美舞台後、接手的是美國；美國這個霸權可以視為「歐洲中心」在海外的延續。

有一位美國商會董事長曾表示：在歷史上，美國的對外投資，主要目標是自然資源，特別是礦產資源，尤其是石油。美國在拉美國家的代理人則宣稱：該等國家資金貧乏，故不得不出賣資源。舉例來說，到1910年，墨西哥經濟的依附性仍然很嚴重：外國資本佔了其礦山投資的97％，橡膠投資的98％，石油投資的90％；歷史上，就在1910年墨西哥爆發了大革命。據統計，1966-1968年三年間，銅出口值占了智利外貿收入的74％，占了秘魯的26％；錫占了玻利維亞出口值的54％；石油占了委內瑞拉外匯收入的比例高達93％；上述這三種產品占了墨西哥外匯收入的30％以上，它們主要多是運往美國市場。

此外，經濟農作產物也是美國所需的重要自然資源；據聯合國拉丁美洲經濟委員會的資料，在1966-1968年的三年間，咖啡出口值占了哥倫比亞出口總收入的64％，巴西43％，薩爾瓦多48％，瓜地馬拉42％，哥斯大黎加36％；香蕉占了厄瓜多外匯收入的61％，巴拿馬54％，宏都拉斯47％；尼加拉瓜的42％外匯收入靠棉花；多明尼加的56％靠蔗糖；烏拉圭的83％靠肉、皮革和羊毛。以上這些大多為未加工的產品，主要運往美國市場。

從某種角度來看，巨大種植園的產生可以說是歐洲殖民主義的最大遺產。這種擴張同樣發生在19世紀後半葉的南亞和東南亞，大種植園的作物包括橡膠、茶、椰子、菸草、咖啡、甘蔗、和香料等，大種植園是由殖民者發展起來的，因此，它們的利潤經常隨著出口被送回殖民母國，資本積累的作用在南亞和東南亞本土反而受到破壞，因此大種植園經濟固然刺激了中心國家的工業化，但反而壓抑被殖民邊緣地區的工業化和經濟持久的增長；實際上，大種植園是殖民母國的附屬部分，它們往往成為被殖民地區當地經濟中的繁榮飛地。

被撕裂的台灣：社會與政治

潘兆民

何者是事務的本質，用眼睛是看不到的，
只有用心方能看清事情的真像
—摘自安托萬‧德‧聖修伯里（Antoine de Saint-Exupéry）《小王子》

前言

　　毫無疑問，當前台灣政治環境的最大危機，正是社會的嚴重對立。在民進黨執政期間，賣弄「芒果乾」（亡國感）、操弄仇恨、激化族群關係與藍綠對立，不問是非、只問立場、在乎顏色。不惜以撕裂台灣社會，動員仇恨，致使稍為緩和的族群問題，再度嚴峻。更甚者，是經濟上的困境、房地產價格的飆漲，使青年人在難以置產，即使租屋亦是壓力大增。如此，年青人的被剝奪感增加，對中老族群的怨懟升高，也加深了世代對立。林林種種，正在逐步裂解台灣社會、侵蝕社會的和諧。據此，正視被撕裂的台灣社會，撫平裂解的社會對立，勢為當下最重要的社會課題。

惡化的社會對立

　　毫無疑問，自蔡政府執政以來，在民進黨選票極大化的政治算計下，高喊「轉型正義」，以意識形態的藍綠對抗方式，從法律、經濟、政治等多面向，打壓對手；在「年金改革」上，片面地削弱軍公教福利，實質為打壓國民黨的基本盤；名為勞工群體的「一例一休」，實為偏袒資方，以助其掌控更重要的執政資源；「開放

美國萊豬」、「開放日本核食入台」，更是為了「遠中、媚日、親美」，擁抱美日以獲得國際安全感的執政策略；推動「同性婚姻立法」，更造成了世代對立。

審視諸多領域一系列的政策操作，政府缺乏政策的穩定性，過度的政治算計，不僅損害了民眾利益而遭致強烈的不滿，導致台灣社會更邁向一個高度分裂的社會。在在張顯民進黨借用片面改革之名，行打擊對手之實。同時改革亦非真正有意義的系統性改革，其實質目的在增進民進黨的利益，而非全國民眾的利益。因為，只會高調「顧主權、護台灣」，卻不斷撕裂、脆弱台灣社會，這是「護台」，還是「賣台」？是「顧台」，還是「害台」？

省籍情結、國家認同的錯亂、貧富差距及世代對立等等撕裂社會的肇因很多，其中尤以失根的「台民化」教育當為主因。毋庸質疑，多年來的課綱調整，持續置入「本土化」為主軸的歷史、地理課本內容，不斷刪減有關中國的介紹篇幅。「本土化」的著重，與中國大陸的連結程度降低，使青年人對大陸的認同感、中華一體化的觀念大為降低。長期推動「台民化」的教育政策下，建構出「台灣本土意識」，形塑中國大陸「非我族類」史觀。

以「108課綱」高中歷史的中國史部分為例，首次被要求納入「東亞史」的脈絡討論。2018年8月13日，教育部「課審大會」決議，高中「中國史」不再使用朝代編年史，並在「東亞史」架構下呈現「中國史」。名義是為培養具國際觀的公民，實則刻意繞過中國大陸。

刻意以減「中國史」後的台灣為基礎，宣稱向外認識世界與歷史。操做「台民化」教育，揚棄以中國大陸為主體的歷史觀，勢必對中小學的歷史教育產生巨大的影響，阻斷「中國文化」的連結，

台灣的貧富問題

蘇信宇

勸客駝蹄羹，霜橙壓香橘。朱門酒肉臭，路有凍死骨。
　　　　　　　　　　—摘自杜甫《自京赴奉先詠懷五百字》

前言

　　近年來經常在報章雜誌看到許多關於經濟現況的討論，但都有一個歸結的重點，那就是台灣的貧富差距正在擴大中，雖然我們常常在自己的周遭感受到這樣的情況，但總是無法具體的形容或是量化我們社會的貧富差距問題。其實貧富差距不是現在才有的，為甚麼現在會成為一個重要的課題呢？因為貧富差距已經到達一個無法忍受的臨界點，而這一個問題早在一百多年前，孫中山先生在其三民主義的思想中，其民生主義就已經提到均富思想與平均地權的觀點，藉由漲價歸公、節制私人資本、發達國家資本等相關政策，達到人民均富與抑制土地集中的情況。而孫中山先生的觀點亦寫入《中華民國憲法》第142條中，「國民經濟應以民生主義為基本原則，實施平均地權，節制資本，以謀國計民生之均足」。現今如果我們回歸這樣的觀點或思考出發，是否可以縮小貧富差距呢？

　　根據2020年11月針對該年度大學畢業生的起薪調查，已創近五年新高，大學畢業生的起薪金額約為3萬1千多元、如果是碩士畢業生約為3萬5千多元。而2019年的大學畢業生起薪大約只有2萬9千多元，如果從數字來看，2020年的畢業生比2019年的畢業生，起薪大

約多2千元,如果每一年大學畢業生的起薪可以增加2千元的話,那真的可以鼓舞我們的學生邁向康莊的未來,但事實上這當然是不可能的。回顧以往的數據,早在2000年時,大學畢業生的起薪已經超越2萬8千元,而後因經濟不景氣與內外在原因,大學畢業生的起薪並未增加,直到2016年才回到2萬8千元的水準,2019年才到達2萬9千元。

戰後台灣人民歷經貧窮,而後經由政府制定良善的政策與人民胼手胝足的努力,逐漸建構和建立一個富足的台灣社會。台灣今日能呈現高度發展,必須體會「前人種樹,後人乘涼」之因果關係。台灣從戰後貧窮到今日貧富差異擴大,故值得重視,但回顧1949年之後,如何成功脫貧,也是關鍵因素。瞭解時代大背景有助於釐清真相。當年在徐蚌會戰後,蔣委員長即已謀定播遷台北,經國先生親自督導從上海分批運出黃金,估計約達3百萬兩,做為黃金準備,以免台灣經濟崩盤。此外,大量人才隨政府渡海,補強高階人力缺口更是重要,例如台大校長傅斯年,清大校長梅貽琦;經濟人才方面如尹仲容、李國鼎、及孫運璿,均可立即投入建設。世人所熟知故宮國寶南遷抵台,價值無法估計,更是震驚中外。及至1970年到1980年間,經國先生積極推動十大建設,促進台灣經濟躍升,博得「亞洲四小龍」美名。當時執政的國民黨政府秉持孫中山均富思想,實施耕者有其田(1953)、建立物價督導會報、強化國營事業、建立累進稅率等等政策,以求兼顧經濟發展及平均分配。這些過往成就,豈容輕率抹煞。

希望的年代:從貧窮到經濟起飛

在理解現代之前,就讓我們一起走過從前,回顧台灣經濟發展的歲月。因為唯有了解過去,我們才能夠理解現代,也認知到過去

與現代的連結，同時認識政府的措施如何改變我們的時代，我們才能夠規畫未來。

1937-1945年中日八年抗戰，中華民國經歷八年艱苦抗戰終於獲得最後成功，但此時中國內部兵疲馬困，不久國共內戰繼之而起，經1948年第三次會戰後，政府當局見勢已不可為，當時蔣中正總統派任陳誠擔任台灣省政府主席，並打算必要時將政府遷往台灣。而此時的台灣經濟情況亦十分貧困，二戰後期日本加緊動員台灣的人力、物力，以求在戰場上獲致勝利，因此台灣各地資源大多被總督府無償徵用，又加上美國在太平洋戰場逐漸取得優勢，美國為打擊與癱瘓日軍的作戰能力，大舉轟炸台灣各軍事要地與工廠，導致戰後台灣經濟大受影響，因此戰後中華民國政府，主要集中在恢復台灣的農業與工業生產。

陳誠來台後在台灣推動一連串的土地改革，首先，推行三七五減租，透過政府力量改善地主與佃農間，在作物收成上所佔比例的差距。其次，頒布《戒嚴令》穩定台灣社會秩序。再者，政府遷台後陸續推動公地放領與耕者有其田政策，將土地從地主手中轉移至佃農身上，使佃農成為自耕農，不僅擴大農業生產，同時也緩和地主與佃農在經濟上的差距。但即便如此，當時台灣社會普遍仍是非常貧窮的。根據資料統計，1950年代各家庭所得絕大部分都是用來購買民生用品，而且食品支出占家庭消費總支出的七成至九成之間，這種情況到1960年雖有所下降，不過仍占家庭消費支出53%，可見戰後台灣人民的窮困程度。而戰後台灣的經濟復甦，約從1960年代初期展開，這主要歸功於當時的國民黨政府與大陸來台菁英的規畫與努力，並為往後台灣經濟發展奠定良好的基礎。

在二次大戰後在台日人大多被遣送回日本，當時有一批即將返回日本的技師就說「我們怕三個月後，台灣可能就會黑暗一片」，

暗諷台灣的電力建設與工業發展都是依靠日本人的協助才有如此成就。但當時的孫運璿在台灣擔任機電處長一職，帶領大陸籍與台籍的工業人才合作，只用短短五個月的時間就已經恢復台灣80%的供電系統，此後孫運璿逢人就說「我們就是有這股勁，打敗日本人的預言」。而另一位促進台灣經濟復甦的代表人物則是李國鼎，戰後李國鼎奉派來台，負責制定相關的經濟政策，認為技術官僚應少涉足政治，並且要多聽取各方意見再作決定。李國鼎辦事講求效率，限時完成，絕不拖泥帶水，同時不斷汲取新知、新觀念，廣為推廣傳播，經常提出不同看法、進而推動新制度、新計畫。

另外，蔣夢麟、沈宗瀚等人先後主持中國農村復興聯合委員會（農復會），在農復會的計畫下，促進農作物和家畜的品種改良，發展土壤改良、灌溉，並辦理農村信貸和成立合作社等相關機構。同時修築石門水庫，兼具防洪、灌溉、發電等多方面用途，在土地改革和農業發展計畫的相互影響下，奠定台灣農業繁榮的基礎。而嚴家淦則是在金融財政上多有著墨與貢獻，1960年代為使台灣經濟發展自給自足，提出〈十九點財經改革〉其內容涵蓋國家財政預算、金融、外匯與貿易等四大層面，成為往後十大建設的根基。也因為當時的政府與這些外省技術官僚的無私奉獻，在電力、工程、農村建設、金融財政與政策制定上的努力，才能造就戰後台灣的經濟快速恢復與發展。

經過1950年代初期的土地改革後，逐步穩定台灣經濟秩序，政府為節省外匯的損耗，開始培養國內輕工業產品的生產，採行「以農業培養工業、以工業發展農業」藉由提升農業生產力增加糧食產出，又透過「田賦徵實」與「肥料換穀」等政策，將農業所得轉移至輕工業上，政府透過進口輕工業產品與原料，擴大生產民生用品、輕工業產品等，以供應國內消費市場，減少向國外進口。而糧

如何面對貧富差距的社會

　　猶記2019年初之時，政府因新冠疫情影響台灣各行各業，於是提出一些紓困方案，其中有一項是可以領取1萬元紓困金，一時之間在新聞媒體的報導下，許多市井小民湧入各地公所，打算申請這1萬元的紓困補助，而且在請領之時，又要舉證自己受疫情影響造成十分貧困，期間有些人開著賓士汽車前往申請紓困，可以說是亂象叢生不一而足，但是卻可以看到底層的民眾受到疫情的衝擊所造成的影響有多大。

　　所以說現今台灣社會中貧富差距大嗎？如果大那我們應該如何改變呢？以及面對未來貧富差距的社會我們將如何自處呢？這些都是我們面臨的課題，以下就簡要說明台灣社會的近況如何。

表一：日本所得階層人數情況（單位：千人）

區分	1999	2009	增減
0-400萬日元	22,958	27,047	4,089
401-2,000萬日元	21,861	17,825	-4,036
2,001萬日元-	164	186	22

來源—日本國稅廳資料

　　首先我們先來看一下日本的情況，2006年日本學者大前研一發表《M型社會》一書，討論日本中產階級消失的問題，這本書的中文翻譯為《M型社會：中產階級消失的危機與商機》。另外根據，1999年與2009年日本所得階層別人數情況，年收入400萬日元以下人數2009年比1999年大增近409萬人，而年收入401萬日元到2,000萬日元2009年則比1999年減少約404萬人，但年收入超過2,001萬日元的人數則增加2萬2千人。代表這十年來日本總勞動力人數4,500多萬人中，年薪400萬日元以上的中產階級減少約409萬人，而低薪群的人

數也增加404萬人，可以說是中產階級都是往下移動，但分布最右側的人數，年收入2,000萬日元以上的人數卻增加2萬2千人。

根據大前研一的研究，日本中產階級大約在1990年代開始消失，並逐步向下層階級流動，而金字塔頂端的人數仍小幅增加，形成左右兩端高峰中間相對低落的M型社會。至於台灣社會隨著1980年代全球化的趨勢來臨，政府轉型發展高科技產業，但在轉型的過程中，許多傳統產業因是勞力密集產業，當面臨工資上漲時移至海外設廠，使傳統產業勞工面臨結構性失業；而政府此時發展高科技產業，產生一群電子新貴，這群員工所得高，形成所得差距逐漸拉大，大約在2000年之後逐步顯現在台灣貧富差距上（根據主計處資料，從1997最高與最低五分位差距5.14倍，增加到2001的6.39倍）。

2019年的年末新冠病毒（COVID-19）爆發以來，台灣各行各業與股市發展的情況可以說是天差地別，所以這一個新冠病毒，不只改變全球經濟發展格局也影響到台灣各方面的發展。根據蘋果新聞網的觀察，各國政府為面對疫情的衝擊紛紛提出許多對策。首先，大政府的趨勢為管控疫情的發展，政府規劃制定相關的防疫措施，追蹤人們移動的足跡，限制會面與社交情況，而且在疫情發展期間有些企業資金周轉不靈宣告破產，政府代墊企業工資等等情況，原本自由市場經濟已經悄悄的被疫情發展所轉變。

其次，各國政府或是中央銀行透過更加寬鬆的貨幣政策，刺激經濟發展。也就是說政府印發鈔票，央行大舉購買企業或是政府公債，不僅預支未來同時營造出非常低利的經濟環境。

再者，促使各國之間貧富差距的加劇與擴大，富裕國家較貧窮國家更能夠執行保護工作與企業，同時富裕國家較容易研發或是取

得疫苗的資源，而貧窮國家則需要縮減政府支出，否則將面臨本國的貨幣危機與資本外逃的風險。

歐美國家與台灣的貧富差距探討

　　在了解台灣社會的貧富差距問題時，我們先來看一下國外的情況。2013年法國經濟學家托瑪・皮凱提（Thomas Piketty），探討自18世紀以來歐美的民眾財富累積和收入不均的問題，而中文版在2014年問世（托瑪・皮凱提著，詹文碩等譯《二十一世紀資本論》），出版之時就有許多經濟學家在討論書中的內容。

表二：2010年美國與歐洲財富分配情況（單位：％）

比率／地區	美國	歐洲
前1％	20	10
2-10％	30	25
11-50％	30	40
51-100％	20	25

來源—托瑪・皮凱提《二十一世紀資本論》

　　根據皮凱提的研究，美國在2010年時，前1％的人大約擁有20％的財富；如果擴大到前10％，這群人大約擁有50％的財富；中間11-50％擁有的財富大約為30％；從51-100％擁有的財富約為20％。至於歐洲的情況比美國平均一些，前1％的人大約擁有10％的財富；如果擴大到前10％，這群人大約擁有35％的財富；中間11-50％擁有的財富大約為40％；從51-100％擁有的財富約為25％。相較於歐美的情況，台灣的貧富差距如何呢？

表三：我國最富與最窮5%家庭所得差（單位：萬元）

年度	綜合所得總額平均數		所得差距（倍）
	所得最低5%	所得最高5%	
2006	6.9	402.0	58.26
2008	6.9	450.7	65.32
2010	4.6	431.8	93.87
2012	5.4	453.1	83.91
2013	4.5	439.8	97.73
2014	4.7	525.6	111.83

來源—財政部主計處資料

我們先來看一下台灣在2006-2014年綜合所得最高5%與最低5%的總額平均數差距，兩者的差距從2006年的58.26倍，擴大到2014年的111.83倍。而且平均數額2006年所得最低仍有6.9萬元，到2014年僅剩4.7萬元；而在2005年所得最高約為402萬元，到2014年則增長為525萬元，增加超過3成。但是如果把所得狀況拉大成為最高收入20%與最低收入20%比較，從2008年到2018年大致維持在6倍左右。

其次，根據2017年主計處的資料與朱敬一的研究，全台灣最前1%享有全台財富約占11.29%。而前20%的人就其財富結構來看，薪資所得約占75%，資本所得占18.39%；如果拉高到1%，其薪資所得占比約為51.54%，資本所得占38.65%；而千分之一與萬分之一，其資本所得分別占61.26%與78.62%，可見財富得累積不是依靠薪資而是依靠資本利得而來，但這些資本利得的獲利主要來自於土地交易。到2018年時，前1%占有全台財富約為13%，前10%約占44%，台灣的財富結構比美國好一點，但比歐洲的情況仍有許多努力和進步的空間。

在國際間的地位似乎大有可為，加入經貿組織、或與美國建立進一步的貿易實質關係都不意外。然而，川普連任失敗，拜登（Biden）入主白宮，川普的對中政策將被延續多少？川普的對中政策是否將被推翻、美中關係重新洗牌？拜登向來親中，如今或許對中國崛起的態度較四年前警戒心提升了不少，但是以策略競合代替全面壓制的態度相當明顯，台灣能從這其中再獲得多少促進自身國際經貿實質地位的機會？實在是個未知數。

另一方面，中國政府面對川普時代所累積下的局面，急需修補國內經濟上的損失與傷害，並進一步穩固政權、弭平國內外勢力的挑戰，因此訊息控管、政府集權來到改革開放時代後的最高點，對於台灣也來到對於台灣民眾熱愛自己國家（不管是熱愛中華民國或是熱愛台灣）都無法容忍的階段。因此可以預見台灣未來國際空間，來自北京的影響只會更強烈。

綜觀情勢，美國尚未從疫情危機中解除，國內也需要修補因總統大選所留下的對立與裂痕，對外關係尚無暇顧及；中國則對內加大集權力道，在維護政權穩固的前提下對外則絕不示弱、持續擴張策略。在此美中關係未明、許多事情都仍在演變發酵的階段，台灣是否能與任何國家簽訂貿易協定，是否能夠加入任何國際組織，都絕非單純的經濟問題，而是複雜的國際政治問題。

◆ 產業創新小故事 1

—故事取材自民國101年經濟部技術處產業創新成果表揚彙編，薛雅菁。

　　智慧型手機的聲控系統，目標在解決使用者不方便使用手動輸入時，可以改以聲音輸入指令。不過，問題來了！路上行人吵雜，假如手機聲控辨識度太差，則無法接收到正確的字彙訊息。因此要能有效辨識語音內容、傳達給手機正確的訊息，有賴麥克風的品質提升。

隨著機殼越輕薄，手機元件越做越小，收音品質佳且失真率低的麥克風，成為智慧型手機聲控功能的必要配件。台灣的鑫創科技在2011年就製作出全球最小的MEMS麥克風！

發展MEMS麥克風，最困難之處是跨領域整合。麥克風的能量來自於薄膜的震動，而這樣的震動必須透過半導體轉換成電能來輸出，因此發展MEMS麥克風必須整合半導體製程、IC設計、機械結構及聲學特性。

鑫創研發初期先與台大機械所合作，進行麥克風機械結構的初期技術研究，之後轉由清大動力機械研究所提供機械結構與聲學特性上的技術諮詢，再從聯電現有的標準CMOS製程進行小幅度修改，做出麥克風的機械結構。歷經三年不斷嘗試模擬、試做、驗證、修正等數十種不同組合，終於成功研發出全球最小的MEMS麥克風！

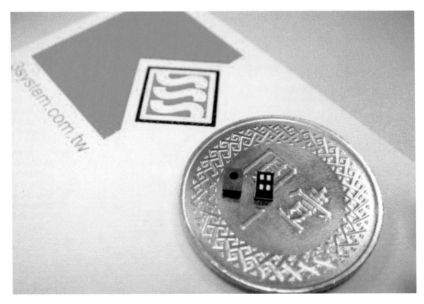

圖說：鑫創科技研發出全球最小的MEMS麥克風。
來源—鑫創科技

包含海外生產		
第1位	第2位	第3位
傳統製造業：速食麵、茶飲料、機能性布料、高階自行車、銅箔基板、烯共聚物、高爾夫球頭。 高科技產業：晶圓代工、IC封測、無線區域網路產品、數位用戶迴路用戶端設備、可攜式導航裝置、有線電視用戶終端設備、印刷電路板、行動裝置光學鏡頭、筆記型電腦、桌上型電腦、主機板。	傳統製造業：純對苯二甲酸、熱塑性彈性體、電子／數位血壓計、行動輔具（電動代步車、電動輪椅）。 高科技產業：矽晶型太陽能電池、IC設計、IC載板、大型TFT　LCD面板、中小型TFT　LCD面板、伺服器。	傳統製造業：味精、滾珠導螺桿。 高科技產業：有機電激發光顯示器、發光二極體元件。

來源─經濟部技術處ITIS計畫（2018年4月）

除了這些數字，其他還有不少例子，例如傳統的石化業，石化產業的主要產品塑膠，重量輕、塑形靈活，不管在人民生活或工業生產中應用皆相當廣泛。身為塑膠王國的台灣，塑膠製造技術成熟，但面對近年來環保意識抬頭，許多國家政府紛紛祭出限塑令，因此不少石化廠商投入研發能夠被環境快速分解的塑膠製品（生物可分解塑膠），甚至使用回收寶特瓶罐來當作建材、興建房屋。這樣的創新，不只令人耳目一新，也將成功的經驗化為實際的訂單，再創產業契機。

再如食品製造業，有些新創公司將國人所愛吃的食品，研發改以對身體負擔較小的成分製作，成為有益身體的健康食品。例如巧克力，利用技術去除可可的苦味，使製作好吃的巧克力不需要再加糖或甜味劑，同時也減少其中的脂肪含量，從而釋放可可

能夠降低血壓的醫療好處，讓世界各地不同年齡的人都能來一口巧克力。也有廠商致力於研發植物肉，使用非基改、全豌豆蛋白為原料製作，口感與真正的肉幾乎無法分辨，為消費者的食物購買增加一項選擇。

台灣相當令人稱羨的醫療品質，目前已有大力發展的醫美觀光套裝行程，未來醫療系統配合上人工智慧技術，不管在資料的處理整合以增進診斷治療品質、與臨床手術操作的技術上，都大有可為，可望成為新一波的明星產業。人工智慧技術在長照產業上的應用，目前也有不少廠商正在進行開發，包括長照機器人能夠提供陪伴、娛樂、訓練、保護長者等功能，預期能夠幫助解決一部分國內長照人力需求不足的困境。

事實上，台灣每個角落都有各行各業的工作者不斷在苦思新的想法，製程上的創新，產品或服務內涵上的改良，售後服務的與時俱進，比比皆是。例如近期在疫情重創旅遊業的情況下，向來經營國際旅遊路線的不少國內業者，轉而經營國內精緻旅遊，為國內旅遊注入更多元的切入點與服務，包括鐵道列車遊台灣等行程，都能看見台灣業者的靈活與想法。

◆ 產業創新小故事 3

—故事取材自民國110年作者自行走訪內容。

走進茶門茶業公司位於台南市安南區的倉庫，滿面的茶葉芳香撲鼻而來。先是濃郁的茉莉茶香，走到中段變成芬芳但帶點苦澀的斯里蘭卡紅茶香，到倉庫最裡面，則是幽幽淡淡的青茶香。在這裡待上一會兒，全身都舒暢了起來。

這是斗滷家的茶葉倉庫。年輕的斗滷，三年前辭去在科學園區的工作，回到家中幫忙父親的茶葉進口事業。斗

滷說，看到父親這一代不少中小企業主們，外文不太行、電腦更不行，在這個新的時代，仍是使用舊的人脈、傳統的經營方式在運作，碰到了許多困難。而自己身上因為父母的栽培而具備了這些現代商業模式下需要的技能，若是眼睜睜看著父執輩的事業逐漸沒落，卻沒有出來試著幫忙一把，真是對不起父母的栽培，因此毅然決然辭去工作，回到家中一起做起茶葉生意。

茶葉進口商的工作，是在國際間尋找適合的茶葉來源，運進國內之後，或是直接以批發價格賣給需求量大的客戶（通常為食品材料行或是中游分拆包裝廠商），或是分拆包裝後賣給需求量居中或較少的下游客戶（通常為飲料店或早餐店）。

斗滷的父親自創業初始，都是靠著自己多年在茶產業所累積下的人脈，尋找貨源與客戶。人脈所帶來的夥伴雖然信賴可靠，但是要持續開發新的貨源或是客戶卻較不容易。斗滷將自己的電腦網路技術，帶進了家中的事業，利用網路資訊流通的便利，尋找、蒐集潛在供應商與潛在客戶的資訊，一一聯絡、建立關係，幾年開發下來客戶的數量增加了一倍多，也找到不管在品質或價格上都更相契合的供應商。會計與財務系統的電子化、現代化，也是新的改變，運用試算系統，讓每一個決策的影響都可以被事先評估。

斗滷說，中小企業最大的困境就是拿不出留住人才的薪資福利，只好往親戚中尋找；但若連自己家中年輕一代都沒有興趣接著做，就只好黯然收場。他鼓勵年輕一代，投入中小企業或是傳統產業的行列，雖不如在大公司般光鮮亮麗，但是可以得到更全面的挑戰與實戰經驗！

圖說：站在自家偌大倉庫中的斗潛。傳統產業、中小企業，
需要更多年輕人的投入！

媒合年輕世代與廠商一同投入技術升級

　　台灣目前有許多廠商正在進行創新，但是也還有更多需要轉型、卻不知從何著手、需要幫助的廠商：大批傳統製造業廠商都面臨競爭力不足、亟需轉型，但第一代做不來，第二代卻沒有興趣接班，年輕求職者也不願來，以至於後繼無人的困境。製造業的產業連結效果大，拉抬其他產業發展的引擎馬力最強；工業發展亦是人類科技進步最主要的來源，當人們想要更快、更好、更便宜地生產產品，就必須不斷研發，促成科技的長足發展。因此，對於台灣這批需要拉一把的傳統製造業者，助其轉型升級、助其增值創新，就等於是幫助台灣再創造新一輪的經濟優勢。

　　事實上，產業轉型有幾種不同的方向，除了大眾普遍熟知的轉往高值化產品生產之外，經營思維的現代化、新行銷管道或手法的使用、運用資訊科技進行管理規劃、挖掘市場新需求以開發新產品

等，都是產業轉型與增加競爭力的方法。例如「創新小故事3」中接班的第二代斗澘所說，光是幫助爸爸打下的天下電子化，例如將公司會計帳本電子化、進出貨資訊使用Excel軟體來存檔計算，就將過去耗時費力的瑣碎工作省下8成的時間與人力。這就是一種轉型、一種升級！接下來，從網路資訊尋找消費者的新偏好、新口味，將這些資訊納入公司飲料口味的創新方向，更是老一輩做不到、卻亟需被執行的轉型策略！

　　這樣的轉型方式不僅需要理工科出身的人才，更需要廣大的人文社科管理人才，能夠綜觀全局、與時俱進。因此政府策略上應該雙管齊下：

往前溯源，貫徹教育制度改革

　　現今世界不再需要大量很乖、只注重學業、成績很好、對外界事物無感、只想坐擁高薪且穩定工作的下一代，現今社會需要充滿好奇、有想法主見、願意創新冒險的下一代。新冠肺炎疫情給我們的教訓，就是世界上再也沒有一本萬利、永保安康的工作，每個人都需要有能力隨時調整自己、面對新情況。因此，我們的國家需要培養能夠隨機應變、隨時準備好接受改變、以因應世界情勢的人才。

注入新血

　　鼓勵傳統製造業聘用年輕人，同時鼓勵年輕人加入傳統製造業，帶來新思維、新管理、甚至是新產品！政府可以採行的具體作法包括盤點各縣市需要協助及轉型的傳統產業廠商，並成立廠商與人才之間的就業媒合平台，讓供需雙方直通訊息，促成廠商的現代化、也擴大年輕人就業機會。

◆ 產業創新小故事 4

—故事取材自民國108年總統創新獎得獎專輯

　　霹靂布袋戲是台灣布袋戲的龍頭品牌，四十年來隨著影音科技與播放平台的沿革，一次次順應潮流研發與改良布袋戲的拍攝技術與製作方式，逐步創建出全球唯一的布袋戲全製作生產線；目前從布偶的製作、劇本的撰寫、布袋戲的拍攝、到行銷上映，一手包辦，並不斷擁抱新科技、跨足國際市場。

　　例如2002年嘗試拍攝布袋戲電影「聖石傳說」，跨足電影界；2013年透過雙通路（7-ELEVEN與全家便利商店）販售霹靂劇集DVD，拓展銷售管道；2015年舉辦兩岸三地大規模【霹靂布袋戲COSPLAY大賽】，推廣布袋戲；2016年與日本動畫大師虛淵玄及Nitro、GSC公司合作創作奇幻武俠偶戲「Thunderbolt Fantasy東離劍遊紀」，跨入「偶動畫」製作。

　　民國108年霹靂國際獲得總統創新獎，特殊的創新項目包括：

1. 全球最大布袋戲全製作中心

2. 將傳統布袋戲掌中藝術變為獨步全球的「偶動畫」創作

3. 多角化營銷策略，延伸文創價值，創造市場產值

4. 將布袋戲事業發展成全國首家上櫃的文創影視內容業者

5. 一元多用跨界創新：透過跨國、異業合作，開發多元、跨域原創偶動畫作品

　　文化產業生存向來不易，尤其傳統藝術在現代社會中面臨更大的挑戰。霹靂布袋戲透過一次一次的創新，緊跟時代潮流，展現出台灣人靈活應變的最大長處！

圖說：2017年台灣雲林燈會，兩座8米高霹靂巨偶花燈，
素還真、羅喉，霸氣現身。

結語：以不變應萬變——雖然「小」、但絕不被「小看」！

在經濟成長的理論中，一國的經濟成長往往歷經幾個階段：從傳統農業社會為起始點，當農業生產飽和、產生大量剩餘勞動力，政府必須順勢引導產業結構轉型，由農業轉向工業，則大量的農村剩餘勞力將能夠轉化成源源不絕的廉價勞動力，以供給工業部門的擴張，成為經濟成長的新動能。待人口紅利結束、勞動成本開始上升，則工業與服務業部門必須進行下一波的產業結構轉型——技術創新升級，唯有如此，這個國家方能擁有經濟持續成長的動能。

換言之，產業不斷的創新升級，本身就已經是一個國家經濟成長的必要條件，再加上台灣特殊的國際地位處境，透過不斷的創新來取得產業優勢，更是改善台灣處境的最務實策略。

因此，我們該做的，是從政府、到企業、到人民，透過政策引導、經由教育改革、藉著產學合作，從農牧漁林業、製造業、到服務業，都以持續的創新精神，持續累積台灣在經濟與產業上的特色與優勢！長此以往，一方面將可以透過持續的產業優勢維持台灣經濟成長動能，讓人民安居樂業，另一方面更可以將產業優勢做為籌碼，一步一步推動台灣在國際間的處境、累積台灣在兩岸關係中的實力。

新冠肺炎疫情至今已一年多，仍未見落幕的可能。這一年來，所有居民滯留在台灣島內，不管是原住民、是明清以降就已遷台的閩南客家人、或是1949年之後遷台的居民、還是近年來加入台灣的新住民，都一起以最合作、最文明的態度，再一次創造了台灣的驕傲。當美國紐約的百老匯、英國倫敦的劇院區，劇場全面關閉、劇場從業人員集體失業，台灣的歌劇院、戲劇院、表演廳，一場一場表演照舊、票房滿座；當國外的餐廳、購物中心空無一人，人們外出購買生活用品多是由家中較不易受影響的年輕人代表出外採購，一路戰戰兢兢、生怕把病毒帶回家，台灣的公司學校照開、生活照舊、新年社交活動依舊。

說這些絕非是要驕矜自滿，反而是要鼓勵國人，從小就被灌輸外國的月亮比較圓、有錢了第一件事就是辦理移民的國人，我們是做得到的！累積台灣的實力，讓我們雖然「小」、但絕不被「小看」！

◆ 產業創新小故事 5
—故事取材自民國109年國立中山大學人文創新與社會實踐計畫左營逛市場系列，李明軒。

在高雄左營哈囉市場後方，可以發現一攤相當不傳統的傳統豬肉攤。從外頭看去，有三道透明自動門，進去後，一陣冷氣迎面而來，明亮而寬敞的環境，維持乾燥的

地板，令人感到相當舒適。中間有著傳統豬肉攤形式的攤子，但所有的豬肉都擺在攤前的開架式冷藏櫃中，以低溫空調保鮮，後頭還有兩個冷藏櫃，只見工作人員進進出出從裡面拿出新鮮的豬肉來切割、販賣。

這是天麟肉品蔡老闆的創新思維。

傳統市場是農業社會生活型態下的產物，人人日出而作，一早前往菜市場購物，預備一天的生活所需。然而在現代工商業社會的生活形態中，傳統市場的消費模式、消費環境都遇上了前所未有的挑戰。但是，傳統市場攤商們並不是消極的坐以待斃，天麟肉品蔡老闆覺得傳統市場想要能夠在當代生存，攤商們就必須要改良自己的品質。對於肉品生意來說，低溫保鮮、清潔，是他認為能夠帶給客人最誠摯的品質，因此用全新的感覺，來延續傳統市場的生命。

蔡老闆說：「想要傳統市場活下去，我們自己就總要有人出來試一試，到哪時撐不下去，再另謀出路啦！」

圖說：在冷氣房裡的豬肉攤，環境整齊、明亮、乾燥。

台灣的抉擇❷──孫中山思想與新古典社會主義

美中抗衡下的兩岸關係

林炫向

> 惟仁者為能以大事小，是故湯事葛，文王事昆夷；
> 惟智者為能以小事大，故大王事獯鬻，句踐事吳。
> 以大事小者，樂天者也；以小事大者，畏天者也。
> 樂天者保天下，畏天者保其國。
> 《詩》云：「畏天之威，于時保之。」
> ─摘自孟子〈梁惠王下〉

前言

　　自從國民政府遷台以來，中華民國（以下簡稱我國）的處境一直是與「中」美關係（本文的「中」指的是中華人民共和國，以下會與「中國大陸」交替使用）息息相關。冷戰時期，美國為了圍堵共產主義而支持我國，以牽制中國大陸。未來為了順應「中國崛起」的挑戰，美國更會利用我國作為抗中的馬前卒。在這種情勢下，鑑於中國大陸不可能放棄對我的主權聲索，按傳統的地緣政治思維，我國似乎只能選擇美國以抗衡中國大陸。這種地緣政治的思維難免帶有強烈的冷戰遺緒，但從國際秩序的角度看，冷戰結束至今已過三十年，在這三十年間，國際格局已經發生極大的變化，過去的冷戰思維是否還能適用，不無疑問。本文的目的是要指出傳統的地緣政治考慮與冷戰思維的局限性，並嘗試跳脫這種舊思維，而從一個完全不同的角度（也就是文明競爭與學習的角度）來思考中美關係和兩岸關係，以作為思考兩岸關係未來的一種替代方式。為了展示傳統思維的局限性，我們先從一般常識性的思維出發，然後

用稍微學術性的方式加以分析，以指出這類思維的困境，最後再提出作者個人的替代新思維。

庶民思維：西瓜偎大邊？

讓我們先從常識性的思維開始。對於中美關係和兩岸關係，很多人都是直覺地認為，我國採取的是自由民主的體制，中國大陸則是威權體制。由於中國大陸一心要併吞我國，而我國光靠自己的實力又無法抵抗大陸，於是別無選擇，只能緊靠美國。這種直線式的思考可以說是人類的本能性反應，只要是人類社會，都會有這種生物性本能，因此也不能說一定不對。但是這種思維也有過度簡化的嫌疑，例如將自由民主與威權體制視為完全對立（稍後會討論這個問題）。而且，就現實面考慮，所謂「天下沒有白吃的午餐」，凡事都要付出代價。我們一旦選擇緊跟美國，最明顯的代價是，美國要我國增加軍購，即使不見得好用，我國也必須買單。同樣地，如果美國要我國進口含萊克多巴胺的豬肉，我國也很難拒絕。這些都是選擇緊跟美國所必須付出的代價。而隨著美國國力的衰落，對於我國的需索只會愈來愈多，我國是否能無限制地讓美國予取予求？這是一般常識性思維所面對的困境。

「戰略三角」的觀點

為了擺脫這種困境，國際關係學者運用了所謂的「戰略三角」（具體而言就是中、美和我國）的架構來進行分析。按照這種分析，在一個「戰略三角」的結構下，夾在對立兩方之下的第三方，其最佳戰略選擇是試圖處在「樞紐」的位置，這樣才能左右逢源。例如在1990年代中國大陸與韓國建交前後，就地緣政治而言，韓國是處在美中兩強中間的第三方，但中國要爭取與韓國建交，就讓它

處在一個有利的「樞紐」地位，成為美中都想爭取的對象，因此它可以左右逢源。「戰略三角」的分析還引申出一個想法，就是在兩強對立的局面下，第三方的國家如果不想成為對立的犧牲品，其最佳戰略是採取所謂的「避險」（hedging）戰略，以普通人的觀念來說，就是不要把所有的雞蛋放在一個籃子裡，也就是不要完全押寶在其中的一方。因此，最好是兩邊都討好，或者至少兩邊都不得罪。目前日韓和許多東南亞國家（甚至歐盟）基本上都是採取這種戰略，因此有許多人也認為我國應該採取這種戰略。事實上，在馬英九總統的任期，我國採取的也是這種戰略。但自從蔡英文總統當選後，因為執政黨不認同一個中國原則，因而不接受九二共識，從而引發大陸的警覺性，想要加速統一的進程，而大陸的舉措又反過來加強了我國執政黨的反中政治動員，結果就是兩岸關係急速凍結，甚至劍拔弩張。在此情勢下，我國根本不存在「避險」戰略的空間，除非執政黨願意接受九二共識。但民進黨基於其台獨的理念，加上短期內國民黨回鍋執政的機會不大，執政黨更不可能接受九二共識。這就使兩岸的僵局成為短期內難以改變的現實，而選擇緊靠美國，也意味我國將成為美國的禁臠。由此可見，較具學術性的「戰略三角」分析也無法帶領我國脫離困境。

「修昔底德陷阱」的觀點

平心而論，執政黨的意識形態雖然是造成我國戰略困境的重要因素，但並非唯一的因素，國際格局的變化也是重要原因，而這個因素可以用「修昔底德陷阱」（Thucydides's Trap）的提法來加以說明。這個說法是美國哈佛大學著名的國際關係學者Graham Allison教授所提出，他研究歷史上16個霸權競逐的案例，發現其中有12個是以戰爭收場。因為陷入戰爭的比例相當高，所以稱之為「陷阱」，

而以「修昔底德」來命名，則是因為古希臘時代雅典和斯巴達的競逐是這類霸權競逐的原型。Allison教授希望人們從修昔底德的伯羅奔尼撒戰爭史吸取教訓，希望今天的中美競逐不要落入那個陷阱。由於Allison的著作書名的主標題是「注定一戰？」（*Destined for War?*），許多人以為他鼓吹中美最終難免一戰，因此自出版後批評的聲浪不斷。其中一種最常見的反對意見認為，今天的世界經濟已經是高度相互依賴，這與古時的狀況完全不同，因此歷史案例的參考價值有限。在經濟高度互賴的條件下，中美發生衝突是非常不理性的，因此也是難以想像的。然而值得注意的是，Allison的著作基本上成書於川普上任之前，而川普上任後對於中國的態度逐漸走向敵對，一路從貿易戰進行到科技戰。儘管拜登上台後的反中措施也許會稍微緩和，但許多分析家都認為，對抗中國威脅已經成為美國的兩黨共識，這個主旋律不會因為拜登上台而有所改變。由此觀之，Allison的警告絕非危言聳聽。

「台灣問題」的爆炸性

在Allison的分析中，有一點特別值得我們注意，就是所謂「台灣問題」的重要性，因為在許多可能引發中美摩擦與衝突的因素當中，「台灣問題」可謂獨佔鰲頭。這是因為對美國而言，我國具有極高的戰略價值，因此他們不可能輕言放棄。但在中國大陸方面，「台灣問題」涉及國家主權的核心利益，北京的態度是寸土不失，因此就格外具有爆炸性。如果我國不謹慎從事，萬一誤踩紅線，或者持續在島內進行「去中國化」，讓大陸感到和平統一無望，從而準備以武力進行統一，這就會給兩岸關係和中美關係帶來極大的危機。面對這種危機，有些人認為美國一定會幫助我國，有些人卻沒有這種信心，認為美國靠不住，在衡量利害得失後，如果美國評估

打不過中國，就會放棄台灣。平心而論，屆時美國是否會幫助我國而不惜與中國一戰，沒有人能預先知道，因為我們都不是上帝。但有一點是可以確定的，不論美國幫不幫，我國都會是最大的受害者。因為不幫的話，我國很難有勝算。即使美國真的出手援助，本島也將是主戰場，即使最終戰勝，本島恐怕也將殘破不堪。因此，如何避免走向這個危機，是對我們的智慧的極大考驗。

文明衝突論？

其二，在Allison的分析中，「文明衝突」對於中美的矛盾和摩擦發揮了加強的作用。學術界的人都知道，「文明衝突論」是由哈佛大學教授杭丁頓（Samuel Huntington）所提出。他提出這個論點時正值冷戰剛結束不久，眾人都還在陶醉在自由民主體制的勝利之時，因此他的論點也很不受歡迎。但在九一一事件發生後，人們才開始意識到，杭丁頓所言不無道理。在Allison教授的著作中，更有專章借用「文明衝突」來探討論中美的矛盾。按Allison教授的說法，中美兩國不只政治體制迥異，兩國人民在價值觀、世界觀以及對政治正當性的看法上都存在著重大的差異，而這種差異本身即使不會導致衝突，也會讓摩擦更難以化解。此一論點的重要性在於，它把觀察的角度提升到文化的層次，而文化是一個變化緩慢的領域，因此如果文化因素確實有加強摩擦的作用，則吾人可以預期，中美之間的摩擦與矛盾在短期內將難以化解。

Allison的討論看到了中美摩擦中的文明差異的因素，雖然很有洞見，但此一論點有個問題是，就如同孫中山先生對於馬克思所做的批評一樣，他是「病理學家而非生理學家」，我們也可以說Allison是病理學家而非生理學家：他指出了疾病所在，卻沒提出解藥。在這方面，個人認為「文明競爭與學習」可以提供一個

替代的視角，而這個視角或許會提供一些解答。稍後我們會再回到這個主題。

兩岸困局的癥結所在

從以上的討論我們可以看到，我國戰略選擇的困境是多重因素交疊而成的。就國際大格局而言，中國國力的急速成長引發了美國的恐懼，因而引發美國出手打壓中國，造成雙方的嚴重對立，這部分美國自己也有責任，因為美國自二次世界大戰後稱霸國際幾十年，很難接受逐漸被中國超越的事實。換言之，美國的老大心態無法接受物換星移的現實，這是問題的關鍵。其次，就中國大陸而言，國家統一是無法放棄的歷史任務，這點不容否認（當然，獨派的人士無法認同，也是可以理解的）。但以目前的條件而言，不論是武統還是和統，都會面臨極大的困難。因為兩岸制度差異極大，即使勉強和統，香港的經驗已經說明一國兩制在實踐上問題不小，在台灣實行的難度只會更高。更不用說武統帶來的創傷，絕對會使統一後的台灣更難治理。因此，統一是急不得的事。原本北京也有事緩則圓的意識，但在台獨勢力步步進逼下，北京也只能被迫把國家統一提上議事日程。其三，就我國內部而言，長期存在的統獨爭論到目前已經發生「從量變到質變」的現象，支持獨立的比例愈來愈高，即使表面上說只想維持現狀的「中華民國派」，實質上也就是反對統一，這也難怪在北京看來，「中華民國派」的維持現狀不啻於「華獨」。總之，我國的戰略選擇之所以受到壓縮，和以上這三個因素絕對脫不了關係。

那麼，如何擺脫這個困境呢？首先，依個人淺見，獨立絕對不是一個好選項。前面已經說過，從政治現實看，獨立成功的機會微乎其微，只會引火燒身，甚至讓寶島殘破不堪。也許有人會說，人

果就是在政治上逐漸滑向台灣獨立。但如前所述，這恐怕是條死胡同。在中國大陸那邊，原來的西化方式是走馬克思主義的道路，但在經歷過慘烈的教訓後，到頭來發現還是必須走「中國式的」社會主義道路，而現在習近平主席更提出「中華民族的偉大復興」的願景，可以說充分意識到了中國固有的文化有其不容抹煞的價值。從社會現實來看，過去被打壓的傳統思想也逐漸回潮，關於儒道釋三家思想的著作如雨後春筍般湧現，說明社會人心有回歸傳統的強大需求。鑑於這股潮流的強勁力道，作者認為，把它稱為「中華文明的文藝復興」亦不為過。

　　以上對於西方文明的衰落和中華文明的復興的描繪，或許會讓人產生「東風壓倒西風」的印象，但那不是本文的目的。作者認為，所謂的文明復興，絕不是抱殘守缺；事實上，文明恆常處在交流與學習之中，因此也會不斷發展演進。處在今天科技高度發達的時代，中華文明當然要吸收其他文明的長處。事實上兩岸同樣都重視學外文，重視學習異文明的成果，我們也看到，每年都有大量的外文著作翻譯成中文，其中因為大陸的人口多，其翻譯著作的數量更是驚人。此事的重要意義是，中華文明並不排外，反而是很努力地學習與吸收其他文明的長處。反觀歐美，雖然其學術界對於其他文明都有非常深入的研究，但「向其他文明學習」並不是一個普及化的現象，沒有成為全民運動。長此以往，不難預期，西方文明的長處將逐步被中華文明所消化吸收；反之，西方文明卻無力消化中華文明。那麼兩個文明競爭的前景如何，讀者應可自行判斷。

結語

　　本文主張採取文明競爭的視角來看中美關係和兩岸關係的未來，還有一層重要的意義是，如果只從國家的立場來談，從國際關

係的專業來看，兩岸關係可以說是無解的。而兩岸的對立如果持續深化，最終可能引爆中美的激烈衝突，前景毋寧是十分黯淡。要避免這個悲劇，吾人恐怕需要擺脫主權國家思維的羈絆，從一個新的視角來看問題。作者認為，文明的視角正是其中的一個選項。從文明的視角出發，兩岸本是同屬一個中華文明。時值西方文明正在走下坡，中華文明正走向復興之際，兩岸人民不妨好好思索，如何攜手共創一個新的中華文明，共同為人類的未來作出貢獻。

註釋：

1 技術處政策介紹 (tn.edu.tw)

2 台灣十大產業隱形冠軍 藏身民間的好企業—經 News｜經新聞 (economic-news.tw)

台灣的中華文化歷程

吳昆財

開萬古得未曾有之奇，洪荒留此山川，作遺民世界；
集一生無可如何之遇，缺憾還諸天地，是創格完人。
——摘自沈葆楨〈台南延平郡王祠所題對聯〉

前言

台灣經常自許為多元文化的社會，而根據台灣的《ETtoday新聞雲》民調中心於2019年對台閩地區20歲以上人口之母體結構的調查顯示，有高達82.5%的民眾認同台灣文化的基底是中華文化（含「非常認同」38.9%與「還算認同」43.6%），僅有14.9%的民眾表示不認同（含「不太認同」8.9%與「非常不認同」5.9%），有2.7%的民眾表示不知道或沒意見。這項調查具有非常重大的意義，它代表著大多數的台灣人民在潛意識裡，仍然承認自己是生存於中華文化圈。

馬英九前總統任內曾多次提到「台灣特色的中華文化」概念，他明確指出，「這一百年來，國家遭遇各種橫逆與挑戰，但終能在台灣勵精圖治，開創完全不同的局面，所以這一百年值得珍惜、慶賀，而政府遷台60年，已開創出具有台灣特色的中華文化，特色就是台灣的核心價值，分別是正直、善良、勤奮、誠信、進取與包容。更希望能以此作基礎，將台灣往前推進。」美哉斯言，究其實台灣的核心價值，也是中華文化的本質，但中華文化在台灣所呈現的元素與意義為何，絕對值得台灣人民深思。

法國「年鑑學派」（The Annales School）學者布勞岱爾（Fer-
nand Braudel），在其名著《地中海史》（*The Mediterranean and the
Mediterranean World in the Age of Philip II*），將歷史的縱向，區隔為
三種時間，亦即恆定的地理時間、長時段的社會（人文）時間，以
及短時段的個人時間。恆定的地理時間，是一種幾乎不動的歷史，
即是人與周遭環境的關係。這是一種移動、轉化緩慢的歷史，具
有無限循環的週期。例如山川、河流、氣候等。長時段的社會（人
文）時間指的是，一種結構式的歷史，也可說是一種社會史，是團
體及組織的歷史。至於短時段的個人時間，乃指一種傳統的歷史，
也可以說不是人類的歷史，而是個人的歷史，是一種表層的波動，
是整個體系活力下的波浪，是一種短暫波動的歷史，迅速且急躁。

如果以布勞岱爾的理論省視過往四百年來，中華文化與中
華民族在台灣的發展，足以提供一套檢驗的標準，無論從恆定的
地理與氣候時段，抑或是長時期的人文時間，都能證明為何過往
數個世紀，兩岸之間一衣帶水，不絕如縷的互動關係。無論從空
間與時間角度觀察，台灣早已是中華民族的生活圈，中華文化涵
蓋了幾大部分的台灣文化。質言之，我們認為台灣文化實是源自
於中華文明，而近年來，台灣引以自豪的多元文化社會，乃以中
華文化為主軸，亦不為過譽之論點，也是台灣未來若想再自我奮
起，所必須依賴的思維泉源。下文試著論述台灣與中華文化、中
華民族密不可分的關係。

明鄭時期的中華文化

鄭成功這位大明的孤臣孽子在1661年收復台灣，從此之後不
但改變台灣未來數百年命運，與兩岸的互動關係。並且將大規模的
中華文化典章制度，與倫理價值等，正式帶進台灣。明鄭時期乃是

有接受日語教育，加上祖母不識字，只能從傳統戲曲來安身立命，一生只穿唐裝。

　　總之，陰錯陽差，鄭鴻生的祖父母依然是過著漢人的生活方式，開口閉口都還是「唐山」，直到1960年代，他的祖母晚年依舊是一身傳統唐裝打扮。最後，鄭鴻生表示，為他們戰後新生代留下的珍貴遺產，不是來自於他父母的現代知識，而是他的祖父母，這些前清遺老的民間領域。

　　質言之，日據時期所保留下的中華文化如歌仔戲、布袋戲，以及人文價值與風俗習慣等，加上兩蔣從大陸帶來一批精華的中華精神與物質文明，從1949年之後，引發再一次台灣與中華文化融合的高峰期。由於兩岸的政治對抗，在一個屬於短時段的個別事件裡，以蔣介石為首的中央政府，帶領了近二百萬的大陸軍民遷台，從此中華文化在這塊婆娑之島，大放光彩。雖然在軍事與政治的鬥爭上，國民黨為中共所擊潰，可是失之桑榆，收之東隅，由蔣所帶來的一批含蓋中國各省、各領域精英分子等，以及中華物質文明，卻在這塊島嶼發光發熱，贏得世人的尊敬。1949年後的台灣治理，我們向世人證明了，在中華文化的基礎下，中國人有能力結合西方文明，達成現代化目標，並成就了馬英九先生口中的「台灣特色的中華文化。」

　　同時，在兩蔣時期治台後的社會裡，延續著前人對於中華文化與民族大義的認同者，仍然是大有人在。例如，著名的閩南籍小說家陳映真。有人形容陳映真和其小說，從1960年代起，已成為各世代台灣知識分的偶像與聖經。但他本人卻因屬於左派思想，成為當時國民黨的階下囚。不過陳映真卻不因此而否定中華文化，反而更加堅定他對中國的認同。為此，他曾在大陸表示，「海峽兩岸都屬於一個中華民族的共同體，我們要共同分享民族綿長光華的歷史和文化傳統，也要承擔民族未來的榮辱與興衰的責任。」

總之，雖然短時段的個別事件干擾中華文化在台的發展，故而有人大談台灣獨立，抑或者是部分國民黨談中華民國在台灣，企圖漠視恆定與長時段的歷史。但所謂世界潮流，順之者昌，逆之者亡，這些口號完全無法掩蓋中華文化在台灣，長久以來為這塊土地所注入的有形與無形的價值：

故宮無價的寶藏

中央政府來台之際，由北京故宮甚至全中國各地帶來了令世人欽羨的世界級國寶，這不僅讓台北故宮躍居國際四大博物館，根據專家估計，台北故宮的價值已達七千億。尤其是近年來，開放陸客觀光後，故宮為政府所創造的財源，對文創推動的貢獻，以及和世界文化的交流，更是台灣發光發熱。中國人強調飲水思源頭，台灣人主張吃果子拜樹頭。試問，若非因緣際會，古來即屬化外之地的台灣，何德何能可以擁有這原本屬於大陸所有，且屬人類共同的珍貴遺產？如果不是蔣中正的中央政府無心插柳，國人何能如此方便，即可闔家欣賞《清明上河圖》，近距離可觀看乾隆的龍椅寶座。但諸多老外與大陸人士，卻得爬山涉水遠渡重洋，方可來台一睹故宮風采？

多少風流人物終老於台灣

或許是命運的安排，台灣能有幸承載20世紀以來，許多叱吒風雲的人物，更有許多大師，最後甚至以福爾摩沙為埋骨處。舉其犖犖大者，如白話文學大師胡適，在台主持中央研究院，推動學術研究與思想啟蒙；國學大師，亦是一代大儒，愛新覺羅毓鋆，讀書百年，在台講學逾一甲子，其門生普及海內外，乃是經學宗師的傳奇人物；中國政治學宗師薩孟武，被稱為台灣政治學的啟蒙者，如前大法官吳庚等，皆是出於薩的門下；台灣大學校長傅斯年也為大學教育樹立典範，最後鞠躬盡

台灣人的中國魂

區桂芝

> 朱明承夜兮，時不可以淹。
> 皋蘭被徑兮，斯路漸。
> 湛湛江水兮，上有楓。
> 目極千里兮，傷春心。
> 魂兮歸來，哀江南！
> ──摘自屈原《招魂》

前言

為什麼曾經，大陸遊客認為「台灣最美的風景是人」？這片風景的塑成，也許可溯源自1967年在台灣所推動的「中華文化復興運動」。當時，在彼岸對傳統文化摧枯拉朽的大肆革命，要「破舊立新」之際，此岸的中華民國即將失去在聯合國裡政治中國的代表權，於是起碼要確認自己文化中國的身分，要擔負起維護傳統文化的使命，要自我肯定：我們才是繼承中國文化的正朔所在。

撇開政治因素不談，這個運動由上而下宣導，又由下而上毫無扞格的自然而然配合進行，可謂肇因於台灣人深蘊傳統中國的文化基因所致，而這些「台灣人」包括熬過日據50年的「正港台灣人」，中國魂被澈底喚醒。政策上從經典學術整理、從民族文化人文主義的思潮研究、從教育改革、從國民生活輔導……，再結合西方科學、人文知識的教育灌輸。三十多年的時間裡，長養育成了既富傳統文化涵養又現代化的各方菁英，台灣人成功的樹立中國文化

承繼者和捍衛者的形象。這一代人在文化藝術領域的表現幾乎成了全世界華語文化圈的領頭羊：他們寫出了對素樸眾生悲憫的鄉土文學，吟唱著孺慕傳統卻不失自我追尋的校園民歌，發動既反省現代化傷痕、又回顧歷史浪潮顛簸的台灣新電影運動……。一連串形塑台灣人文風景至關重大的浪潮，幾乎毋庸置疑的來自這個世代，而這一群人在蔣經國總統開放探親的政策之後，風吹浪湧的穿越台灣海峽，將一把又一把的文化種子帶回中原大地，他們在大江南北的中國栽下一把又一把在中華文化復興運動中復育成功的幼苗。如今的中國，強調傳統文化的價值，肯定老祖宗的智慧，民族復興的壯闊風景中，和「台灣最美的風景」，重疊何其大？我們竟然怯於面對，不願承認嗎？

筆者不揣固陋，且從原汁原味的台灣常民娛樂的追本溯源中，探索台灣人拋不掉的中國魂魄。

戲曲舞台的中國

眾所周知，最具台灣本土特色的傳統戲曲是歌仔戲和布袋戲，而兩者皆源於福建，屬於閩南庶民的通俗文化。

先談歌仔戲。

明清之際，漳泉移民帶來了閩南的錦歌（一種由福建南部民謠發展而成的曲藝），在宜蘭落腳。當時由一些大陸師傅和當地善歌青年合作，創作出被當地人喜愛而漸漸傳唱的「本地歌仔」，再結合早已自閩南傳進而流行的「車鼓戲」（一種搭配音樂伴奏的歌舞表演），演出滑稽詼諧的民間故事，就此逐步由散齣的「歌仔小戲」，發展成大型的「野台歌仔戲」。之後，再向京戲學習身段和鑼鼓點，向福州班學習布景和連本戲，進行精緻

術、聽覺藝術的綜合藝術「電影」。而上世紀80年代，剛開始要成亞洲四小龍、又實際不為世界了解的台灣，就因為電影而站上世界舞台，甚至帶起了超過十年的世界電影華語熱潮。在眩麗的銀幕背後，最重要的關鍵推手正是兩岸三地最重要的電影學者——台北藝術大學電影創作研究所創所教授焦雄屏。她正是中華文化復興運動教育理念下所培養的社會菁英。

　　台灣戲劇界、藝文界的領航人政治大學吳靜吉教授表示對她「非常佩服」，「我們對創作內涵、製作歷程、文化底蘊等有共同的認識」。吳教授認為：焦雄屏是個很好的製片人，也是個很好的老師，她有一般老師缺乏的實務經驗，可以讓很多對電影創作有興趣的人，透過她開授的製片、編劇、導演、創意發展等課程獲得成長；她製造機會，提供環境，在培養人才方面貢獻很大。在國際推廣上，「她擁有雙語、雙能力。就是說她具備對在地元素、文化脈絡及歷史發展的底蘊與知識，也理解創作；同時，電影語言是屬於西方的，話語權在外國人手上，焦雄屏做為一個中介者，也就是擺渡人，必須非常清楚世界趨勢，了解影展評審的口味眼光，才能成功的轉介本地作品為西方人接受，使他們了解作品中的歷史淵源、文化因素及本土特色。電影發展一定有從在地化到全球化的過程，焦雄屏讓國際看到台灣，也引國際進入台灣。她善於選擇有利於台灣的訊息及各種面向讓世界看到，讓台灣電影得以發光發聲。」在「台灣新電影」最蓬勃發展的期間，焦雄屏成功的整合各方面的資源，連結各領域的創作人才，包括導演、編劇、攝影、燈光、剪接、設計、音效……等，再向外推廣，募集資金，有效行銷。吳教授說「就我所知，她不是富二代，也不是官二代，她的國際行銷推廣，完全是靠個人的人際網絡去說服別人。」焦雄屏以個人的力量將《悲情城市》、《愛情萬歲》推廣至世界三大影展威尼斯的金獅獎，當時震驚華語影壇。

吳教授的看法也在其他藝文界代表人士中獲得驗證，「雲門舞集」創辦人林懷民說：「她為台灣新電影拼了命的在世界各大影展穿梭奔走，像坎城、威尼斯、柏林……等，為台灣爭取了許多機會，這些國際串連太重要了！」而且她又筆耕不輟，幾乎著作等身，影響「非常了不起」；金馬獎主題曲作曲音樂家、新象藝術負責人樊曼儂認為她「為台灣開啟了真正的影評時代，觀念獨到新穎，有世界級的眼光，及大無畏精神」、「她對侯孝賢、楊德昌他們的幫助是各方面的，從劇本討論到各種電影經驗；她語文能力又強，帶著他們參加各種國際影展，幫他們做翻譯，向外國人解釋電影中的文化情境、或中國詩詞意象」，「許多影展的評委特別注意焦雄屏對導演的看法，甚至以她的意見為重要參考依據」。

　　當時，被瓊瑤三廳電影、號稱社會寫實的黑幫電影占據的台灣影壇，靠著焦雄屏犀利強勁的一支健筆，扭轉並引導了創作的新觀念，她說：「我們是承襲鄉土文學的一代，從小說中吸取對本土的認識，對環境的熱愛。我們就是要倡導用電影反映當代生活。」她為剛冒芽的台灣新電影力抗各方勢力的攻擊，新電影名作《超級大國民》的導演萬仁感念至深，他說：「焦雄屏文章對新電影的評論與推薦，對我們十分重要」；而且「她為我們這些較接近藝術電影的創作人，去對抗政治的強大壓力以及來自商業電影的霸權威脅。」她對台灣新電影的全面貢獻，也許可用1989年《悲情城市》所獲的金獅獎為例說明：台灣電影所獲得的第一次國際聚焦，光熱迸放，一方面是侯孝賢本身的藝術成熟表現；另一方面更是焦雄屏領著毫無國際經驗又不通外語的侯孝賢，接受70場國際電影評論人的訪問，幫助對台灣歷史毫無理解的外國人，看懂電影中的歷史脈絡與中國傳統詩詞美學的意境，使外國人開始熱衷認識亞洲電影，刮起旋風，因而水到渠成所致。焦雄屏也憑著自己在國際電影圈的聲譽，協助其他新導演，萬仁說焦雄屏在90年代轉作製片人，為藝

術電影推廣國際市場，「不只我，也不只楊德昌侯孝賢，太多人了，太多人受益了」。其後，受到台灣新電影創作啟發，也受到焦雄屏幫助、提攜、指導登上國際的台灣導演有李安、蔡明亮、余為彥、王童、賴聲川、柯一正、王小棣、陳玉勳、張作驥、蕭雅全、林正盛、易智言、陳以文、鄭芬芬……等。香港的許鞍華、關錦鵬也直接間接受到協助。

更難能可貴的是，焦雄屏推動台灣新電影之餘，也在報社專欄介紹中國電影，從早期1920年代，寫到中國第五代及當時在大陸剛冒出頭的第六代導演的作品。她是大陸以外，全世界最早一批看見中國電影價值的人，但卻是唯一最有效在全世界推動大陸電影的知音；一如她是最早將侯孝賢、楊德昌創作的特殊性，讓世界了解的人。她也將大陸電影史和當代電影介紹到世界，也介紹到台灣，她為大陸電影所撰寫的介紹及訪問，後來成為全世界電影學界了解華語電影的途徑，以及研究者主要引述的對象。多少台灣人也是從她的專欄認識到原來一無所知的大陸電影，焦雄屏自己說她是看了三四十年代的老電影，才從中了解父母生活過的年代，電影對她來說，不僅是藝術形式，而且「代表了和父母之間的溝通，是斬不斷的鄉土之根」，其實這也是台灣人與大陸切不掉的淵源之一！她以一貫的熱情協助大陸第五代（如陳凱歌、張藝謀）第六代（如賈樟柯、王小帥）導演國際行銷。西方電影學者稱她為「台灣電影之母」，大陸電影界稱她「第六代導演教母」。

焦雄屏一直是華人電影界的理論撰述者、創作教育者，研究領域最全面，出版數量最多，她所策畫、主編、寫作、翻譯的遠流「電影館」、麥田「電影叢書」、江蘇教育出版「電影系列」，北京後浪出版的電影史書籍……，幾乎是中港台電影學習者的入門必讀書。大陸第五代導演田壯壯說「如果書架上沒有老焦的書就不算

學電影的」，被認為大陸電影界梟雄的姜文說「（搞電影的）誰家沒有一套焦雄屏的書」。她經年來往兩岸，除在大學授課，也主持各種培養人才的計畫，如台灣「電影年」計劃、大陸導演協會青蔥計劃和吳天明（大陸第四代導演）基金會，長期培養導演、監製人才。1988年她創立「中時晚報電影節」是如今「台北電影節」的前身，她也是政府電影政策的建議者，曾任金馬獎主席，把金馬獎從人人唾棄的活動（如當時的立法委員幾次三番提案廢除，報社重量級撰述委員南方朔撰文批判）改革成兩岸三地最輝煌也最有活力的電影獎。她的威力不止於此，她是華語影人中擔任世界電影節評審次數最多者（上百次之多），足跡遍布東西南歐、南美洲、亞洲、美洲……，像波士尼亞、俄羅斯、烏茲別克、巴西、阿根廷這些不常聽聞的電影節，都有她爭取發言權的機會；更屢屢到世界知名大學演講介紹華語電影：哈佛、耶魯、柏克萊……，可以說：一整代的世界電影學者對中國電影的理解、觀念的塑成，都來自於她的撰述、評論與訪問和演講。

焦雄屏通透的了解華語電影長久以來的傳統，能清楚分辨中港台電影的脈絡與特色，有效的將許多傑出的華語電影推向國際，也是聯繫兩岸電影人的重要橋樑。這位學養紮實、底蘊深厚又對台灣電影影響巨大的學者、製片人，她的成長背景就是以中華文化復興運動為內裡的教育年代。她認為台灣新電影運動「代表一代文化人承襲中國傳統文化的底蘊，又建立了本土認同的在地感情，再加上美日文化的衝擊，造成一種新文化的活力。」她個人則是「因為機緣和對電影、文化、傳統的歷史使命和責任感，才能成為兩岸三地彼此溝通並與世界接軌的橋樑。」焦雄屏的成就實可看作中華文化復興運動教育成果的具現，而她並不是孤例。

以下且看完全生發於本土的校園民歌運動。

本文採訪感謝名單：

- 吳靜吉老師
- 林懷民老師
- 焦雄屏老師
- 樊曼儂老師
- 黃文姬副總
- 蔡欣欣老師

（以姓氏筆劃為序）

參考文獻：

- 《台灣歌仔戲的發展與變遷》，曾永義著。
- 《掌上風雲一世紀，黃海岱的布袋戲生涯》，黃俊雄等著。
- 《台灣布袋戲發展史》，陳廷龍著。
- 《布袋戲的角色與造型》，林茂賢著。
- 《永遠的未央歌：現代民歌／校園歌曲20年紀念冊》，馬世芳主編。
- 文化部網站

台灣人的中國魂

台灣的抉擇❷——孫中山思想與新古典社會主義

我的同胞啊，你是誰呢？

洪泉湖

煮豆燃豆萁，豆在釜中泣
本是同根生，相煎何太急
　　　　　　　—摘自曹植《七步詩》

前言

　　近三十年來，台灣的政治相當混亂，社會已被撕裂，原因有很多，其中最嚴重的一項就是族國認同的錯亂。所謂「族國認同」，其實是包括「族群認同」（ethnic identity）和「國家認同」（national identity）兩部分。族群認同是指一個「族群」（ethnic group）的成員們，基於共同的來源、共同的文化等因素，而自認為屬於這個群體的一分子，且其他群體成員也認為這些人是屬於同一個群體。重要的是，這個群體的成員，在主觀意願上認同這個群體，以這個群體的文化為榮，願意效忠於這個群體。

　　國家認同則是指一個或多個族群，基於安全和利益等原因，願意共同生活在一個國家之內，成為它的國民甚至公民，並向它效忠。他們選擇認同這個國家，主要的考量是制度的選擇，如果他們認為憲政民主制度比較能保障他們的自由人權，他們就可能認同這種憲民主的國家；如果他們認為廉能有效率的政治制度比較能滿足他們的生活和安全，他們就有可能會認同威權式的國家。

　　台灣民眾的族群認同，在日據時代以前，本來沒有什麼太大的問題，不管閩南人或客家人，都會認同自己是漢人或唐山人（台灣

原住民暫且不論），但台灣光復後反而出現了問題。國家認同則比較複雜一些，在日據時期，一些台灣民眾可能會出現「我是要認同中國（清朝和民國）？還是要認同日本國？」的問題，台灣光復後則有「認不認同中華民國」的問題。

　　這裡要附帶說明的是，本文不用「民族」（nation）而用「族群」，是有原因的。一是在台灣如果用「民族」，則無法解釋同為「漢族」的閩南人、客家人和外省人（三大「族群」），絕大多數是漢人，為何彼此之間還會有鴻溝，甚至會對立？二是如果用「民族」，那台灣原住民族其社會發展還沒有達到人類學或民族學上所說「民族」的層次，而且他們各族之間，在語言、社會結構、祭祀、慶典、歌舞、命名等各方面也不太相同，三是如果用民族，那台灣的原住民族算是一個民族呢？還是十六個民族？這都會有問題。因此，使用「族群」一詞，反而比較有彈性。再者，本文所要談的「族群認同」，倒不是要談閩南人、客家人、外省人和原住民族這四個族群各自內部的認同問題，而是更寬廣的對「台灣人」或「中國人」的認同問題；至於本文所要談的「國家認同」，則是指台灣民眾（不管他／她屬於哪一個族群）認不認同「中華民國」的問題。

台灣人是怎麼來的？

　　關於台灣民眾的「族群認同」，最常聽到的一句話是「我是台灣人」。那麼，台灣人是怎麼來的呢？從歷史來看，最早定居台灣的，並不是漢人，而是原住民。根據考古學者的推斷，原住民早在距今8,000年（一說6,000年）前，就已經在台灣活動了，而漢人是距今400年前才陸續移民到台灣的。

治抗日時期」。既然「抗日」運動是前仆後繼的，就顯示台灣人在當時是不願意接受日本帝國統治的，即使到了「內地延長主義時期」（1919到1937年）和「皇民化運動時期」（1937到1945年），台灣人民還是不太願意接受日本殖民政府的攏絡。因此，除了一部分台灣人願意變成「皇民」外，大多數的民眾並無意變成皇民，甚至是反抗認同日本的。

1945年8月，日本帝國因戰敗而向同盟國宣布「無條件」投降，盟軍最高統帥麥克阿瑟（Douglas MacArthur）隨即發布「一般命令第一號」，指示：「在中國（滿州除外）、台灣及北緯十六度以北之法屬印度支那境內的日本軍隊，應向同盟國的代表人蔣中正投降。」所以中華民國政府隨即指派何應欽為中國的受降全權代表，而何應欽又委派陳儀為其在台灣的受降代表。當年10月25日，陳儀在台北接受日本代表安藤利吉總督的投降。由於中華民國政府在八年抗戰期間，一再表示「台灣是我們中國的領土」、戰後「決定收回台灣」，所以在1943年的開羅宣言（Cairo Declartion）中，明定戰後台灣澎湖必須歸還中華民國，1945年的波茲坦宣言（Potsdam Declaration，又稱波茲坦公告）中，則明定開羅宣言的條件必須實施，而日皇的「終戰詔書」也宣布「無條件投降」，因此台灣歸還中華民國，應該是毫無疑問的。[2]

再從當時台灣民眾的反應來看，睽違了50年，台灣民眾大多沒有到過中國大陸，也不知道它的模樣，所以對這個「祖國」其實是印象模糊的，但他們還是知道自己祖先是「唐山過台灣」的漢人，中華民國是繼清朝之後的「祖國」，所以對於中華民國派員前來「接收」台灣，他們是歡迎的，很多人還自製國旗，成群結隊到基隆歡迎國民政府的接收人員。

不幸的是，一年半之後台灣發生「二二八事件」（1947年），政府由大陸調動部隊來台鎮壓，結果引起民眾的激烈反抗。兩年後，因國共兩黨內戰激烈，且台灣情勢也感吃緊，政府乃下令「戒嚴」（1949年起）。在這樣的「戰亂時期」，有部分台灣人開始對中華民國政府產生了嫌棄感，而不認同中華民國。

1949年10月1日，中華人民共和國成立，中華民國政府則因內戰失利，於1949年12月遷到台灣。這一情勢的發展，使得台灣民眾的國家認同更為複雜。中華人民共和國政府宣稱台灣本屬於清朝，後由中華民國概括繼承，但中華民國又由中華人民共和國概括繼承，因此認為台灣為中國的固有領土。但中華民國政府則宣告，中華民國並沒有滅亡，只是治權範圍變小了，它的中央政府目前就在台灣，因此，主張台灣當然是中華民國的固有領土。由此可知，中華民國是台灣的「護主」，只有中華民國還存在，中華人民共和國才無法「概括繼承」，把台灣搶走。

就台灣民眾的「國家認同」而言，1971年又是一個轉折點。當年10月，中華民國被迫退出聯合國，頓時失去國際舞台，此時台灣的黨外人士主張應該更改國號，不與中共爭中國代表權。1979年12月在高雄發生的「美麗島事件」，被政府界定為暴亂，在庭訊中，被告施明德公開指出，他們主張台灣獨立，是因為「擔心台灣被出賣」。問題是：主張台灣獨立，真的就能免於中華人民共和國政府對台灣的統一要求嗎？

到了1990年代以後，由於李登輝、陳水扁相繼當選總統，前者提出「兩岸是特殊的國與國關係」，後者主張「一邊一國」（一中一台或兩個中國），促使贊同台灣獨立的人愈來愈多，贊成統一的人愈來愈少。近三十年來台灣國家認同的轉變，可以從下列表二看出其大要：

表二：台灣民眾近三十年來國家認同的改變（單位：%）

時期	政府或政治領袖主要主張或作為	族群認同的改變		
李登輝（1988-2000）	主張「特殊國與國關係」、反對黨提出「台獨黨綱」、「台灣前途決議文」	偏向統一： 維持現狀再決定： 永遠維持現狀： 偏向獨立：	1996 19.5 30.5 15.3 9.5	1999 15.2 30.9 18.8 13.6
陳水扁（2000-2008）	主張「一邊一國」（一中一台）	偏向統一： 維持現狀再決定： 永遠維持現狀： 偏向獨立：	2000 17.4 29.5 19.2 12.6	2007 10.6 36.5 18.4 13.7
馬英九（2008-2016）	堅持「九二共識、一中各表」；反對黨否認九二共識，認為只有「九二會談」	偏向統一： 維持現狀再決定： 永遠維持現狀： 偏向獨立：	2014 7.9 34.3 25.2 18.4	2016 8.5 35.3 26.3 18.5
蔡英文（2016-2024）	講「中華民國（台灣）」，再度進行教改，曾準備提出修憲案（可能要修掉憲法增修條文前言「為因應國家統一前之需要……」等字眼）	偏向統一： 維持現狀再決定： 永遠維持現狀： 偏向獨立：	2019 7.5 29.8 27.8 21.5	2020 5.1 28.7 22.6 27.3

來源—依據國立政治大學選舉研究中心（2020），
＜台灣民眾對統獨立場趨勢圖＞改製。

為什麼台灣民眾的「國家認同」會有這樣的轉變？除了表二所提到的各個時期政府、政治領袖或反對黨的倡議、導引之外，還有以下諸種原因：一是日據時代日本殖民政府對台灣人的教育，日

本自從明治維新（1868-1889）而成為亞洲強國之後，已經看不起那時的清朝（同治、光緒年間）。第二次世界大戰時日本全面侵華時（從1937年起），仗著先進的武器，所向披靡，更把中國視為虛弱的代表，因此在台灣的日本教育中，把「支那」形容是弱者，指涉中國（China）是一個弱國，當時的台灣學生也在不知不覺中認為中國是弱者。二是中華民國中央政府在內戰失敗後播遷來台，在這風雨飄搖之際，難免有草木皆兵、敵我不清之困境，在二二八事件過後不久，為因應時局的動亂而宣布戒嚴，實施威權統治，結果讓部分台灣民眾討厭執政黨，從而不肯認同中華民國。三是台灣民眾四百年來不是被攻佔，就是被殖民，因此從來沒有機會由自己「當家作主」，有些人亟盼自己能建立「自己的國家」。四是中華民國自1971年10月被迫退出聯合國後，逐漸退出國際舞台，1979年1月美國跟中華民國斷交，更使我國變成國際孤兒，很多台灣民眾認為「罪魁禍首」就是中共。而中華民國既已難立足於國際，部分台灣民眾即認為毋須再與中共爭「誰代表中國」，不如另建一個新的國家（台灣共和國？），以圖生存。五是今日的中國大陸，已經強大，卻遭遇美國的抗衡，而美國川普（Donald Trump）政府也用「支持廣大中國人民，反對中共威權政府」的策略來對抗中國大陸，因此那些台獨人士認為可趁機在美國的支持下，共同對抗中華人民共和國，尋求台灣獨立的機會。

你的認同改變對台灣會產生什麼影響？

　　台灣民眾近三十年來在「族群認同」和「國家認同」的轉變，對於台灣的影響，可以說是相當重大的，本文至少可以舉出下列各點來稍加說明：

新古典社會主義對台灣的啟示：中山思想新解

周世雄

莫聽穿林打葉聲，何妨吟嘯且徐行。

竹杖芒鞋輕勝馬，誰怕？一蓑煙雨任平生。

料峭春風吹酒醒，微冷，山頭斜照卻相迎。

回首向來蕭瑟處，歸去，也無風雨也無晴。

—摘自蘇軾《定風波》

前言

2020年美國總統大選引發全球關注，全世界都目睹美國民主的脆弱，西方世界引以為傲的民主制度伴隨資本主義極端發展正走到盡頭。而台灣長期附隨美國，在總統大選期間所暴露的仇恨動員，抹黑醜化對手，似乎也是民主崩壞前兆。有選舉就可稱為民主？非也。中國大陸一向被西方世界（尤其美國）譏為一黨專政，施行社會主義及市場經濟體制，過去五十年的實踐證明卻是從中山先生曾經感嘆的「四萬萬人像一盤散沙」之「次殖民地」躍升為國際強國。何以致之，國家體制差異使然，值得觀察。中國大陸奉行社會主義並融合資本主義之市場經濟，近乎「新古典社會主義」（Neo-classical Socialism）範疇，幾乎達到生產—分配完美均衡，台灣必須脫鉤被殖民困境，「新古典社會主義」足以借鏡。

台灣已淪為美國殖民地？

2021年1月6日，美國國會被一群川普總統支持者闖入，暴民在國會逞暴行，川普總統也是美國歷任總統第一位煽動唆使民眾攻入國會，造成5人喪命，美國立國以來國會山莊首次被暴民攻破，創造國際級大笑話。美國一向在全球各地傳播「自由民主」，到處指責哪些國家違反民主、人權，不從者則可能遭到「制裁」，幾乎全球各地都有美國介入案例，拉丁美洲、非洲、亞太地區、東歐、俄羅斯，無一倖免。

台灣自不例外，台灣各政黨也以與美方保持友好關係為傲，親美不僅是台灣政治人物口號，而且進入血液、身體力行。最明顯的案例則是於2020年台灣執政黨——民主進步黨於11月4日突然宣布（蔡英文於總統府頒布）自2021年1月1日進口含有萊克多巴胺（即係稱瘦肉精）美豬，這項行政命令未經立法院討論，超過70%台灣人民反對，蔡政府還是馴服地跪接美國「太上皇」的意旨，拿台灣人民健康去換美國的「萊豬」。再看對美軍購，台灣每年都花上幾千億去買回一堆美國可能「汰換」的武器，人民的血汗錢像打水漂，無止盡的虛擲。這些現象說明台灣和美國的關係是很不正常，說到底台灣幾乎是美國「次殖民地」，正如同中山先生當年指出中國是個「次殖民地」。

台灣沒有對美國說「No」的能力，就像這回美國駐聯合國大使克拉芙特（Kelly Craft）說要來台訪問，臨到出訪日說不來就不來，民進黨政府敢抗議嗎？更令人驚訝的是美國拜登政府（國務院）發言人普萊思（Ned Price）直接降指蔡英文為「台灣民選代表」（Taiwan's democratically elected representatives），簡直視蔡政府為無物。

中山的「訓政」，大約就是這個意思，也即具有「政治社會化」的
用意。

在經濟方面，孫中山先生主張發達國家資本，以政府的力量來
解決人民的食、衣、住、行問題。但他並不反對私人資本與市場經
濟，只是反對資本家操弄市場經濟，壟斷民生。另一方面，他念茲
在茲的是「社會的平等」，所以又提倡「平均地權」、「耕者有其
田」。在台灣，「平均地權」雖因方法上的困難，只能做到適度的照
價徵稅和漲價歸公，但「耕者有其田」則有較好的實現，雖然也引起
了地主的反彈，但它對台灣的農村復興，畢竟發揮了良性作用。

中華文化在台灣

一個民族的發展和國家的興衰，文化的因素很重要。台灣，從
明末清初以來，中華文化就隨著一波一波「唐山過台灣」的移民，
而在台灣生根、發芽，乃至茁壯、創新。這本是歷史的事實，但晚
近卻有一批台灣人為了自己的台獨夢，不惜說出「台灣文化不是中
華文化」的論調，實在令人喟嘆！

遠的不說，光是1949年前後隨國民政府由大陸來台的中華文
化大師級人物的，就不知有多少。例如錢穆（歷史學家），牟宗
三、徐復觀（哲學家），胡適、余光中、林語堂（文學家），蔣
夢麟、傅斯年、錢思亮（教育家），張大千、黃君璧、溥心畬、
于右任（畫家、書法家），聖嚴法師、惟覺法師、星雲法師（宗
教家）等等，都是中華文化的重要傳承人，對台灣的中華文化發
展，貢獻巨大。

至於說「中華文化不是台灣文化」或「台灣文化不是中華
文化」，那就太扯了！台灣的閩南人、客家人和大部分的「外省

人」，不都是講中國大陸的閩南話、客家話和國語（普通話）嗎？這不是中華文化嗎？這些人所使用的文字、姓名，所舉辦的春節、清明節、端午節、七夕、中秋節等節慶，哪些不是中華文化？他們所珍惜的歌仔戲、布袋戲，也都由福建等地衍生而來，甚至客廳門外上方所掛和先人墓碑上所刻的堂號，例如姓林的西河堂、姓陳的穎川堂、姓李的隴西堂、姓趙的天水堂、姓謝的陳留堂、姓洪的敦煌堂等，哪個不是指涉中國大陸的某個地方呢？

中華文化歷久而彌新，屢遭破壞總能再次修復甚至發揚光大。台灣目前固有不肯承認中華文化的謬論，而1966到1976年間在中國大陸所發生的「文化大革命」，更是對中華文化的最大摧殘，對於這件歷史上的重大錯誤，相關當局應勇於承認，並引以為戒。不過，據傳中國大陸政府已決定於若干年後全面恢復中華文化，此事如果屬實，倒是相當值得鼓掌歡呼的。

孫中山所受的雖是西式教育，但他在從事革命以後，即開始肯定中華文化，他說他的學說來自三方面，一是傳承中國傳統文化，二是規撫歐美學說事蹟，三是他自己的獨創發明。他在講述三民主義時，特別提倡中國固有的道德、智識和能力，崇尚儒家思想的王道文化與世界大同理想。當然，他對固有道德乃至個人素養方面，也有所批評，對於中國傳統的「知易行難」更不以為然，可見他並不是一位食古不化的人。

新古典社會主義與孫中山思想

台灣人本來一向是非常嚮往美國的，可是2020年一場美國總統大選及新冠病毒（COVID-19）疫情，大大地損傷了美國作為一個先進民主法治國家的形象，也揭開了美國政府並非那麼能「有效治

理」的真相，更別論它潛存已久的種族歧視了。這麼一來，國際上有許多學者專家不免開始產生疑問：美國的資本主義式民主（尊重人權＋自由經濟）還是全球最值得追求的制度嗎？北歐式的民主社會主義（尊重人權＋社會平等＋福利國）是不是更好的選擇？甚至中國大陸當前的「具有中國特色的社會主義」（有效治理＋社會公平）是否也是一項不錯的選擇？據此，邁向「新古典社會主義」那種完全均衡的治理應指日可待。

中國大陸是社會主義國家，其配地分房政策實施多年，有效地解決了民眾的種地生產和住屋問題，值得加以肯定。近年來它的「扶貧」政策也達到相當的成果。至於經濟發展方面，它依循社會主義「計劃經濟」的模式，近年來無論在公共工程建設方面，如修建高速公路、高速鐵路、大型港口、新式機場、水壩、沙漠綠化、南水北調等，或是在民間企業的發展方面，都相當成功。因此，它的「有效治理」和「社會公平」，成績應該是值得肯定的。

我們再來看孫中山的觀點。孫中山對社會與經濟的理想是「均富」，因此在「富」的方面，他主張「發達國家資本」，並提出「實業計畫」，希望藉由國際的實業家到中國來共同從事公路、鐵路、港口等基礎建設，以利中國經濟的發展。雖然他也主張「節制私人資本」，但並非要限制私人企業的發展，而是限制私人企業的壟斷，限制它造成貧富差距的拉大。在土地方面，他提倡平均地權、耕者有其田，也都是為了縮短貧富差距，邁向社會平等。

台灣的抉擇

台灣被夾在中國大陸與美國之間，可謂「兩大之間難為小」，台灣要怎麼走出一條自己的路？這就要看台灣人的抉擇了。基於本書各篇文章的論述，我們做出若干建議，或可提供國人深思：

首先，在族群認同方面，大家應該選擇我們「是台灣人，也是中國人」，也即認同我們是中華民族的一支，這不但是事實，而且可以緩解中國大陸的疑慮。其次，在文化認同方面，我們應該認同、傳承和創新中華文化，對台灣的閩南文化、客家文化、原住民族文化乃至新住民的文化，也都能加以尊重包容，對其發展創新，都能樂觀其成。其三，我們的國家認同應該選擇「現階段是中華民國，未來如能展開兩岸對等和平談判，再考慮其他」，這是大陸不會公開承認的，但可以沉默不反對。至於在制度認同方面，我們應該維持民主法治與自由經濟，但也應學習有效治理與社會平等，以及福利國家的政策作為。

　　至於對外具體作為方面，應該去除斯德哥爾摩症候群，恢復自己的自尊自信。對於大國，應不卑不亢，對於小國，應濟弱扶傾。對於中國大陸，應去除敵意，設法先恢復兩岸交流，爾後再尋求展開和平談判。

　　在對內具體作為方面，政治上執政黨要以身作則，摒棄民粹主義，恢復理性民主。在社會和經濟上則可以採取新古典社會主義的原則，除了應增進「有效治理」外，也要重視「社會平等」和「福利國家」，例如設法增加就業機會，積極推出社會住宅，健全醫療健保和養老育幼制度，縮短貧富差距等等。而這些具體作為歸納起來，也還是離不開孫中山的思想主張。